ちくま新書

問いの立て方

宮野公樹
Miyano Naoki

1551

問いの立て方【目次】

はじめに

「いい問いの立て方を教えてください」
そう質問されたことが執筆に至ったきっかけです。

「問い」に関する書は国内外に数多《あまた》あり、今更自分が付け足すことは何一つないだろう、そう思いつつ、同種類の本を調べてみました。

どれもこれもすごく役立つとは思ったものの、役立つだけに留まっている感じもしてどこか腑に落ちない。それならいっそ、自分だったらこういう本を読みたい、というものを書いてみようと思って書き上げたのが本書です。

かつて金属組織学で学位を取得した後、ナノテクノロジー、医工学へと活動がうつり、現在は学問論、大学論といった領域で思考をすすめる私は、人一倍、哲学への思いが強く、そういう私から見れば、「問い」とは人間精神そのものであり、紀元前から脈々と続く哲学の歴史とも言え、執筆にあたってかつての偉人たちの思想に抱かれながら拙いながらもなんとか歩を進める、そういう感覚でした。

ゆえに、誰も読んだことのない新しいものを書いた、といったつもりはありません。誰しもが「当たり前」と考えることを、誰しもが使う「当たり前の言葉」で綴っただけ。しいて言うなら、その「当たり前」が、どう「当たり前」か、それについて私なりに徹底的に考えてみたものです。

本文にも書いていますが、具体的な場面や事例について多少触れてはいるものの、ノウハウめいた方法論や読後直ちに使える答えのようなもの、それらを書こうとした本ではありません。

それならば、「問いの立て方」というタイトルが間違いなのでは？

と思われたかも知れませんが、「問いの立て方」をまっとうに考えた結果がいわゆる方法論ではなかったという結末であったゆえ、どうしても仕方のないことなのでした。

本書を読んでガッカリされては申し訳ないので、ノウハウや答えを求める方にはご遠慮いただき、あえていうなら、しっとりと静かに自分と向き合う、そういう時間を大事にする方に手にとって頂ければきっとこの本も報われると思います。

何卒よろしくお願い申し上げます。

序

†「いい問い」に限定しない

「いい問いの立て方」を考えるにあたり、直ちに三つ、思いつくことがあります。

一つ目は、「いい」という言葉の意味。いいとは、「良い」か「善い」か。前者なら、基準なり指標なり、何かしらの尺度が必要となります。

二つ目は、「問い」とは何か、ということ。調べれば答えがわかる問いもあれば、答えなどない問いもある。前者は「問題」や「質問」と呼ばれるものだろうし、後者は「課題」や「テーマ」、「目標」の類いとなるでしょう。

三つ目は、そもそも、いい問いの「立て方」という何かしらの方法論があるのか、ということ。言い換えるなら、いい問いを見つけようと思って見つけられるような問いが、果たして「いい問い」であるのか、という疑問です。

のっけから元も子もない物言いですが、そもそも論から考えるような思考の仕方こそが、ほんとうの「いい問い」を持ちうる唯一の方法と考えます。目新しいハウツー的なやり方も大事ではありますが、むしろそういうやり方を生む思考のほうがより根本にあるのは間違いないことですから。

さらに、このまま筆を続けて、

それでは、本書では「いい」を良い、「問い」を課題、と設定した上で考えていきますね。

という風にはしたくありません。確かに定義や境界条件の設定により、より厳密かつ正確な議論ができるでしょう。今日においてよしとされるロジカルとはそういうことですし、昨今はエビデンスベースという言葉もよく目にします。

しかし、私はそのやり方にてほんとうのところでの「いい問い」を摑めるようになるとは思えません。ロジカルをよしとするのも、ロジカルがよいという考えがあってのこと。なぜロジカルであったりエビデンスベースであったりすれば我々は正しいと思ったり、納得できると思ったりするのか。ほんとうの「いい問い」を考えるにあたっては、そもそも論の果てまで考える必要があると思うのです。

では、「いい問いの立て方」をどのように考えていくのか。それは何なのか。

それは私にもわかりません。私は答えや意見を持っていません。ただ、確固たる考えはあります。どう「確固たる」かというと、本気でほんとうに「いい問いの見つけ方を考える」なら、誰がどう考えてもそう考えるだろうという「考え」があるということです。したがって、本書を読んで頂いているみなさまといっしょに、暗闇のなか手探りで探し物をみつけるような、そういう思考の追体験ができるはずです。言うなら、それが可能かどうかが、私の挑戦でもあるわけです。我ながら大胆な挑戦とは思いますが、試みる以上はあらかじめ本書のスタンスをご理解していただくことに努めようと思います。

気の利いたアイデア的な何かしらコロッとした答えめいたものを望まれる方には本書は向いてないかもしれません。課題は分割して考えなさい、こういう問題にはこういう別視点を入れてみなさい、テーマにちょっとした矛盾を含めなさい、解決策に物語性を入れなさい……といった「私（著者）は答えをもっている」というスタンスの本ではありません。

そのような内容は、私からすると、どうも「こうだからこう」というようにインプットとアウトプットを直接的、物理的にとらえすぎのように思えます。そのインプットとアウトプットは、いずれも「結果」です。インプットも「それをインプットしよう」と考えた結果だからです。つまり、結果をどうにかしようとして結果だけを扱っているように見えるのです。なぜそのアウトプットを求めるか、なぜそのインプットなのか、といったような「問い」の背景を十分に踏まえてこそ本質的な「いい問い」に迫れると考え、本書では、それら「結果」をもたらす理由や原因にこそ着目します。そのほうが結果に与える影響は断然大きいはずです。

†言葉の多義性の受諾

もう一つの本書のスタンスは、「いい問い」を意味合いや場面で分けずに考えていくこと。その理由は、「いい」と「問い」という言葉の多義性にあります。

これは、我々が素朴に求める「いい問い」というものは、「良い」か「善い」かにすぱっと二分できないものではないかと思ったためです。確かに言葉（この場合、単語という意味）が違うから意味するものも違うのは当然です。しかし、我々が日常生活において「あ、これはいい！」と思うとき、良いと善いの違いをそれほど意識していません。もっと漠としたもの、良いと善いの混在。それが「いい」の本来の性質ではないかと思います。

「問い」もまたそもそも定義しにくい性質のものです。先に書いたとおり、「問い」の言い換えとして、質問、問題、課題、目標、テーマなどいくつかあげられます。そしてそれらは明確に区別しづらい。問題がそのまま目標であったり、課題をテーマとして扱ったり、我々は日常的にそのように「問い」という言葉を使っています。なお、問いの性質を特定させるのは、その問いの「場（形式）」となるでしょう。例えば、学術的研究会でとりあげる学問的な問い、ワークショップで対話を活発にさせる問い、新規事業開発にて世間で注目を集めるための問い。このような場に依存して問いの性質は限定され、我々はスムーズに「問い」という言葉を使っています。

以上、この二つの理由により、本書では、「いい問い」を意味合いや場面で分けずに真正面から扱います。[1] 場面ごとに違うその場その場の「いい」と、あらゆる場面でも共通して絶対的に「いい」のは、どちらのほうがより「いい」かは、言うまでもないことですから。これはきっと抽象度の高い話になるでしょう。しかし、それに耐えなければなりません、読み手も書き手も。先に述べた「原因を扱う」とは、考えを扱うということ。考えとは目に見えないものですから、抽象度が高いのは当たり前なのですが、どうも二〇世紀以降この手のメタフィジカルな思考と現実の乖離がいっそう顕著になり、考えは考え、食うことは食うこと、と別々にされて久しい。本書では、この壁をなんとか乗り越えようと理解の深化をねらいとして、この手の本では珍しく図による論の解説を試みています。


さて、第一章では、「いい問いとは何か」について考えます。これを考えずに思索を進めるのは、ゴールが決まっていないのに走り出すマラソンのようなものですから。

第二章は、「いい問いにする方法」についてです。今もっている問いを「いい問い」にする方法について考えます。

最後の第三章は、「いい問いの見つけ方」です。この章ではじめて具体的な社会的課題や今日を生きる我々が知らず知らずのうちにもっている考えの偏りについて述べてみます。

†なぜこの順番なのか

ここで読者のみなさまは、最後の第三章「いい問いの見つけ方」こそがまず最初なのでは？ と思われたかもしれません。しかし、私はそのようにできませんでした。なぜなら、そもそも問いは誰しもが既にもっているものだからです、必ず。

例えば、普段、学生と話していて「自分の問いが見つからない」という人は少なくありません。これはいうなら「やりたいことが見つからない」という類のものですが、その「やりたいことが見つからない」というのも立派な「問い」でしょう。

この種の問いの答えは「やりたいことが見つかること」と思われがちですが、ほんとうにそうでしょうか。見つからないのは「やりたいこと」ではなく「自分」のほうでしょう。

---

1 真面目に誠実に考えることと、厳密で正確であることは必ずしもイコールではなく、整理することや分類することが「分かる」ことでもありません。「もっと具体的にせよ」という指摘がまっとうに聞こえ、「もっと概念的にせよ」という指摘を滅多に聞かない現代においても、このところ、アートや教養を重視する兆しが見受けられるのは、ロジックや具体によりすぎてきた時代の反動と考えます。

自分がわからないからやりたいことが見つからない。自分の中に軸がない。そういう段階で、いかに多種多様な体験をしてみたり、片っ端からいろんな本を読んだりしても、やりたいことは見つかりません。

慌てて付け加えますが、そのような探索活動を否定しているのではありません。自分の外に何かを見つけようとして探索するのではなく、いろんなものを探索しながら、自分の気持ちは何に反応するのかを観察する内なる目がほんとうに大事だと思うのです。自分はこれをやってみて面白いと感じた。でも、なぜ面白いと感じたのだろう。それは気分的なことなのか[2]、それとも自分自身の根幹、アイデンティティに関わったことだからなのか……。このように気分的な好き嫌いを超えたところでの思考も伴わないと、あれも違うこれも違うといつまでも探し続けることになることは間違いありません[3]。

考えなければ自分もない

どのような「問い」も、自分というものと切り離せません。どのような「問い」も、必ず自分自身に向けられる論理です。考えてもみてください。何かを願っている、何かに怒っている、それは自分であって他人ではありません。自分がいなければ問いもありません。

ここで「問い」を「考え」と置き換えても同じことです。自分がいなければ考えもない、これを裏側から見れば、考えがなければ自分もない、となります。

霊長類学者・山極壽一先生が言うように、我々人間はどうしても考え、あるいは意味を求めてしまう動物です。例えば、何もない真っ白な部屋の中央にぽつりと丸い球が置かれていたとします。その部屋に足を踏み入れると我々は必ず「なんでこれがここにあるのだろう」とか、「この空間、この球は何を意味しているのだろう」といった考えが脳内に生じるでしょう。この事例でも見事に「問い」と「考え」は一致しています。

そもそもなぜ人は問いあるいは考えを持つのか、の答えがこれです。そもそもそういうものなのです。そして、考えとは言葉のことです。なぜなら言葉なしにはいっさい考えられませんから。つまり言葉をもった時点で人であるということです。そしていっそう恐ろしいのはその言葉は自分自身で発明したものではないということ。気の遠くなるほどの時

2　気分転換という単語で使われるような「気分」と、果てまで考えた先にある「気分」とでは、それに従う意味合いが全く異なります。これについては本書を読み進めていただければと思います。

3　ただし、「絶えず探し続けるという自分」も一つの答えではあります。

間、人の生き死に、それらを経て在る言葉というもの。それを人なら誰でも持って使っている。それは有史以来の人の歴史そのものを誰しもが持ち歩いているということです、自覚するにせよしないにせよ。この世は自分の見方でしか見られないけれど、「言葉」として「考えている」ということはそのちっぽけな自分を軽々しく超えているということ……。

この驚き、なんだか妙な気分、わかったようなわからないような、宙に浮いた心持ちに少しでもなったなら、ほんとうの「いい問い」を考えるスタートラインに立ったということです。さっそく次の章へと進みます。

第一章　「いい問い」とは何か

†答えがある問い、答えがない問い

改めてまっさらな気持ちで「いい問いの立て方を教えてください」という本書の主題に向き合います。まず考えるのは「いい問い」とは何か、です。「それ、いい問いだね！」と人が感嘆を表すとき、いったい何がどう「いい」のでしょうか。

極めて冷淡ではありますが、本書の冒頭で書いたように一般的に大勢の方が思う「いい問い」の内実は場合による、としか言いようがありません。

例えば、ある不都合を解消したい場面における「いい問い」とは、その不都合を解決する方策を得る視点のことでしょう。何かしらの課題を解決したい場合における「いい問い」とは、その解決に役立つ問い、ボトルネックを突くような策のことでしょう。新規事業立ち上げにおける「いい問い」とは、大勢に影響を与えるようなコンセプトのことでしょう。研究会やワークショップにおける「いい問い」とは、参加者が必死になって考えたりワイワイ盛り上がるようなお題のことでしょう。

このようにそれぞれの場面において、「いい問い」の内実は変わり、その場面ごとに本一冊書けるぐらいのノウハウめいたものがあるわけですが、本書では、問いの場面を限定せずに問いそのものを扱うのでそれらは他書にまかせ、[4]それらの場面を包括した位置から問いを眺めてみることにします。

さまざまな問いの場面が無数に並ぶ二次元平面。それを眺める自分。そうして各「問い」の内実に着目しないのであれば、その在り方、形式に意識を移すことになります。それについて何か気づくことといえば……。本書の冒頭で書いたように、答えが「ある」問いと答えが「ない」問い。この二分法が問いの在り方の大きな区分と言えそうです。

答えがある問いというのは、パズルの最後の一ピースのようなもので、その問いの目的を見事にかなえる方策なりアイデアなり、何かが確固たるものとしてある、というものです。例えば、パソコンの電源ボタンを押しても起動しないとき、モニターとPCのケーブルが壊れたのか、電源ボタンが壊れているのか、PCの起動プログラムが壊れたのか、はたまた電源ケーブルが刺さってないだけなのか。いずれかを試してうまく起動したなら、それが答えだったわけです。他にも運動会の一〇〇メートル走で、どうやったら一位をとれるかという問いも、直接的にそれを達成させる方策がいくつか思いつきます。それらを実施すれば一位を獲得できる確率が格段と上がるでしょう。

あぁ、これらのように、すべての問いに解決する直接的な方策があるのだったら、なんと人生は容易だったことでしょう……。

どうすれば将来我が社の主軸に育つ新規事業のテーマを考えられるか？
どうすれば自分にぴったりの就職先が見つかるか？

4　例えば、場面ごとの他書は以下。『イシューからはじめよ――知的生産の「シンプルな本質」』（安宅和人著）英治出版、『問いこそが答えだ！　正しく問う力が仕事と人生の視界を開く』（ハル・グレガーセン著）光文社、『申し訳ない、御社をつぶしたのは私です。』（カレン・フェラン著）大和書房、『深く考える力』（田坂広志著）PHP新書、『問いのデザイン――創造的対話のファシリテーション』（安斎勇樹、塩瀬隆之著）学芸出版社

どうすれば最愛の人と出会えるか？

どんなタイトルにすればベストセラーになるか？笑

などなど、とうてい正解などない「問い」で人生は溢れています。考えてみれば、人生そのものがそう。どうすれば幸せになるか……。なぜだかわからないけれど一回こっきりしかない人生において、どうして正しい答えなど見つけられるものでしょうか。

問いにスケールがあるという表現が許されるなら、コロッとした手のひらサイズの「今日のランチ何にしようか」から、「この世界とは何か」といった宇宙を包む壮大な問いまで存在することでしょう。そしてそれら無数の大小の問いは、内実は違えどすべて「問い」という点で絶対的に同じであり、そう、まるで人が問いを持っているのではなく問いの中に人が在るという方が両者の在り方としてしっくりきます、何から何までもが問いなのですから。問いがあるから人がある、言い換えるなら、生きていることが問いである、のです。

この内容にピンとこない方がおられたなら、「問い」を「考え」と置き換えて再度この段落をお読みください。「序」の終わりで書いたように、「問い」と「考え」は一致しているものですから文脈として成り立つのです。以下にそれらを置き換えた文章を載せます。私が言わんとしていることを味わってくだされば幸いです。

考えてみれば、人生そのものがそう。どうすれば幸せになるか……。なぜだかわからないけれど一回こっきりしかない人生において、どうして正しい答えなど見つけられるものでしょうか。

考えにスケールがあるという表現が許されるなら、コロッとした手のひらサイズの「今日のランチ何にしようか」から、「この世界とは何か」といった宇宙を包む壮大な考えまで存在することでしょう。そしてそれら無数の大小の考えは、内実は違えどすべて「考える」という点で絶対的に同じであり、そう、まるで人が考えを持っているのではなく考えの中に人が在るという方が両者の在り方としてしっくりきます、何から何までもが考えなのですから。考えがあるから人がある、言い換えるなら、生きていることが考えること、となります。

こうやってみると、答えがある問いと答えがない問いという分類は極めて些細なことのように思えます。これは、はっきりとした答えがある問いの方が少ないという量的なことを問題にしたいのではなく、そもそも「問いがあるからその分類もある」という端的な事実です。問いがなければなにも無い。すべてが「問いがあるからある」のですから、これは当然のことです。つまるところ、生きることそのものが問いなのですから、その生きていること、すなわち存在していることの現実、その重大さから考えれば、答えがあるとかないとかの分類はとるにたらない些細なこととも言え、先に述べた「場面ごとにいい問いの内実が変わる」というのも、そんなもんだからまあそうだよね、で終わる話です。そのくらいに我々が「問い」として存在している事実は恐ろしいほどの大事です。

†本質と名付けてみる

そうして、再度、世の中を眺めると、

「……のときはこうしたほうがいい」

「……のためにはこういう考え方をしなさい」

「……が悪いのは……だからだ」

といったように、問いと同じ数だけの考えや意見、――答えではなくあくまで意見――が世の中に溢れています。繰り返しになりますが、それらの是非など、そもそもそれらは「問いがあるからある」といった観点から考えてみれば、乱暴に言いますが、いずれも枝葉のことのように思えます。ましてや――少しでもマシな選択をしようとする不断なる努力の重要性は自明としつつも――きっと正しい答え、正解がある！　あるいは、自分の意見が正しい！　と過度に固執することは、「問いがあるからある」の側から見れば、若干幼稚な態度だと思われます。

これが本書「序」で述べた「こうだからこう、と言い切るような断定的な意見は、インプットとアウトプットを物的に扱いすぎており、それは結果で結果をどうにかしようとしている」の謂《いい》です。考えや意見は問いがあるからあるので、その問いがあることについて考えることがより元にあるという論理は言うまでもない当たり前のことです。

ここで章題「「いい問い」とは何か」に戻るなら、この「問いがあるからある」という事実に接続される「そもそもなぜその問いがあるのか」という問い、言うなら問いを問う問い。これは物事の大本に迫る問いの形式であり、それゆえこの形式こそが「いい問い」につながると考えて問題ないように思います。

肝心なところなので繰り返しますが、「なぜその問いがあるのか」という問いを問う問い。これは「問いがあるからある」という存在そのもの、あるいは存在に触れる考えのことであり、根底に位置するゆえに場面や条件に決して依存しません。それらの問いが形成される「土台」の方なのですから、どのような問いにも共通し当てはまる形式です。ある場面においてのみ「いい」のと、あらゆる場面において絶対的に「いい」のとではどちらが本来の「いい」かは言うまでもありません。だからこそ、どのような場面、どのような時代にも決してブレることはなく、そして、我々の歴史ではそういうものを「本質」と名付けています。

そう、あっさりと言うなら「いい問い」とは本質的な問い。そして本質的とは、「なぜその問いがあるのか」といった根源的な存在についてまで考えられているか、あるいはその根拠を踏まえて考えられているかどうかのことと言えます。

†なぜその問いはあるのか

以下、順を追ってさらに仔細に考えます。

例えば、AさんとBさんが、「仕事」について以下のような問い（意見）を持っていたとします（図1）。

A「いかに一つの仕事に没頭するか？　その道一筋で生きるか」

B「兼業、副業を推進するプロジェクト型雇用をいかに常識としていくか」

この二人が意見交換すると、なかなか合意がとれないことは容易に想像がつきます。当然ながら双方に長所短所があり、ＩｏＴの爆発的進展等の時代情勢、職種や仕事の内容、そして個々人の好み等さまざまな要因が存在するからです。結局のところ、この二人の議論において何か一つの結論なり同意なりを得るためには、場面の特定や条件の設定が必要となるのでしょう。逆に言えば、そのように環境を規定しなければ、つまり問題を小さく狭くしなければ、結論は得られません。[5]

本書では何も意見の異なる対話の合意を得る方法を述べるつもりはなく、意見が異なる

図1　意見の衝突

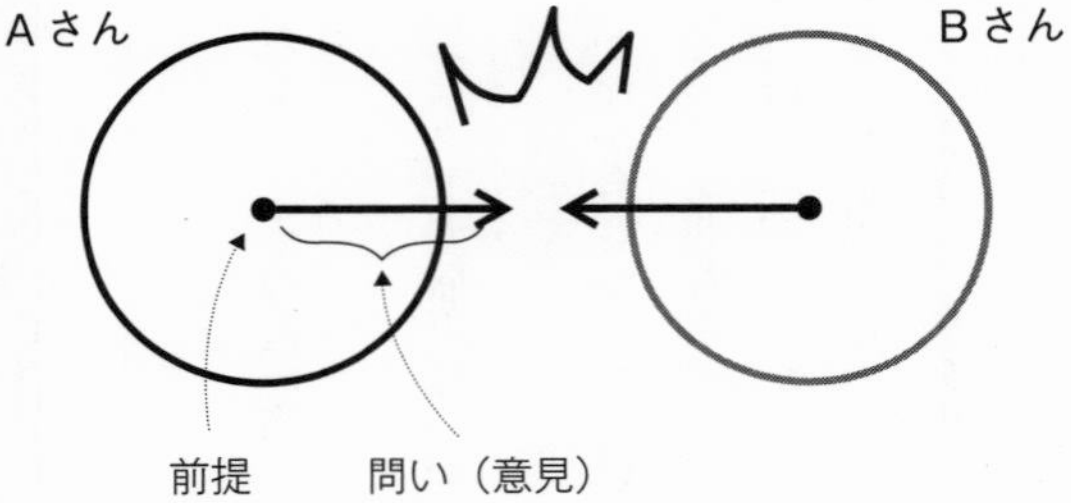

ということの解釈を通じて「いい問い」それ自体の考察に挑みますので、先に述べた「問いを問う」という論理形式に従うこととします。
いい問いとは本質的な問い。本質的とは「なぜその問いがあるのか」といった根源的な存在についてまで考えられているか否かですので、それぞれの問い（意見）が発せられた根拠に着目します。

A「いかに一つの仕事に没頭するか。その道一筋」
（その前提）一つの仕事に熱心になることで自分自身が磨かれるものだ。

B「兼業、副業を推進するプロジェクト型雇用をいかに常識としていくか」
（その前提）仕事とは自分自身の発見のことだ。幅を広げることに自己の成長がある。

5　答えを出すことが目的であれば、それでもいいのでしょう。しかし、もともと解決したかった問いからは違う問いになっていることに注意を払っておく必要があります。

それぞれの意見は、例えばこのような前提から生じたものであり、その前提とは仕事観、社会観といった、個々人がその対象に抱く考え、観念のことです。

二人の意見交換は、この仕事観の領域まで踏み込んで議論することで、意見が平行線をたどるただの言い合いから脱し、実のある議論がなされる可能性が拡大します。この場合、Aは集中して極めるタイプで、Bはさまざまな体験から何かを見出すタイプと言えますが、いずれも仕事に対する考え方は、金銭を得るためというより自己研鑽という傾向が共通して見受けられるからです。この点においてなら、両者が嚙み合った話ができるのだと思います（図2）。

そもそもの観念までさかのぼって考えることが大切な理由は、このような合意を得るためという目的に限定されません。これまで述べてきたように、ある特定の場面でしか通じない理論や考えよりも、どのような場面でも通じる理論や考え、――この場合は仕事観といった観念――の方がより多くの事柄に影響を及ぼし得るため、我々にとって決定的に肝心なことだからです。

例えば、ある人が「仕事とは生活費獲得のためにやるものであり、面白くなくとも辛抱してやるものだ」という仕事観を持っていたとしたら、その人の就職活動や業種選択は内

図2　意見の根拠である観念では共通部分がある

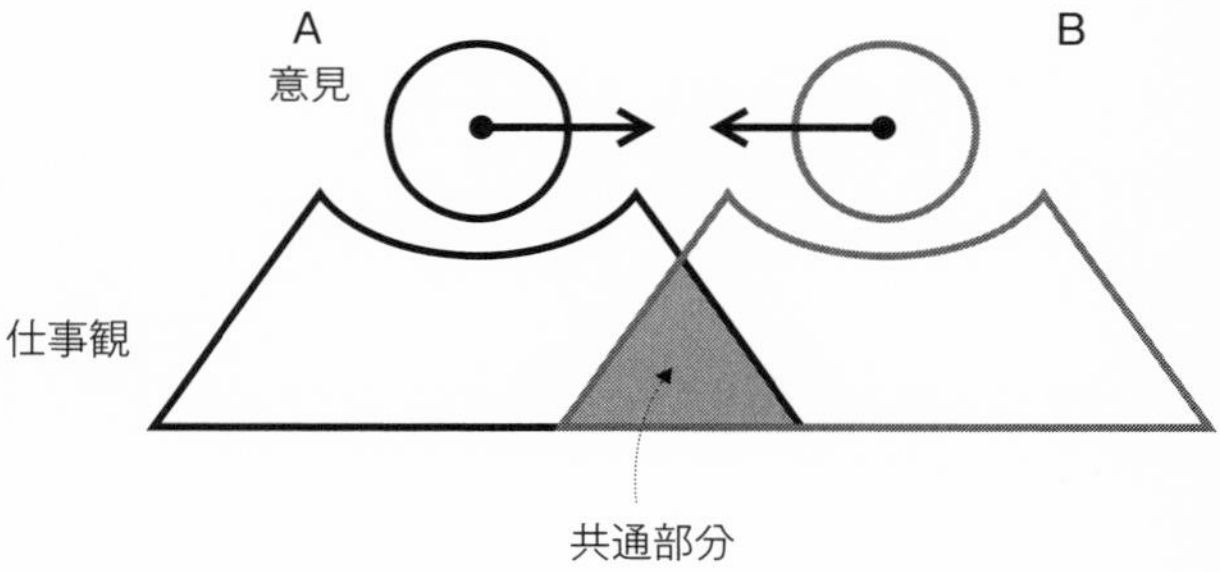

容よりも収入を重視したのものとなるでしょうし、また、低賃金ながらも嬉々として業務する人を理解できずに非難するかもしれません。さらには、その人が親になった際、良きにつけ悪しきにつけ、その価値観は子供にも影響を及ぼすでしょう。

†根拠をさらに掘り下げる

仕事観以外の例もあげます。

a私はなぜあの人が嫌いなのか?
b我が社の事業において選択と集中を促進させるいい方法はないか?
cどうやって国民投票率一〇〇%にするか?

これらの問いを目にすると、我々の意識は直ちに応答し、それに対する何らかの考えを脳内に生じさせます。例えば、

a私はなぜあの人が嫌いなのか?

→私は全然嫌いじゃないけどね。

b我が社の事業において選択と集中を促進させるいい方法はないか？
→最近はもっと別の方法もあるのでは？

cどうやって国民投票率一〇〇％にするか？
→そんなの無理。国民の定義を変えて母数を減らすしかない。

このようにさまざまな意見があることでしょう。何人集まって話そうが、それだけ賛成か反対か別案の意見が増えるだけで、結論「めいた」ものには達するかもしれませんが、完全なる結論はきっと得られません。なぜなら、極論を言うなら、

aは、人それぞれの好みの問題
bは、やってみないとわからない問題
cは、どうしようもない問題

だからです。冷酷ではありますが、究極的に言えば、実際はそういうものです。[6]特に「人それぞれ」という言葉は取り扱いが難しく、安易にこれを言い出すと建設的な議論が成り立たなくなる危険があります。しかしながら、人それぞれと言いつつも絶対的に共通している部分は間違いなく存在し、その共通部分を対象とするからこその「本質的」であり、それこそが「いい問い」であるはずです。そこで先と同じように、問いに対して同次元にて直接的に応答するような答えや意見を考えるのではなく、問いを問うという形式に従い「その問いがなぜ生じたか」という理由を考えます。

それぞれの問いの理由もしくは根拠として、例えば、以下のようにあげることができます。

a私はなぜあの人が嫌いなのか？

（その根拠）私は人間関係を損得勘定で考える人は嫌いだから

b我が社の事業において選択と集中を促進させるいい方法はないか？

（その根拠）会社の業績を上げるには、取捨選択が大事だからだ

c どうやって国民投票率一〇〇％にするか？

（その根拠）政治を良くするには全国民が政治に関与すべきだからだ

言うまでもないことですが、すべての問いには必ずその理由や根拠が存在します。これはあまりに自明なため、空気のように普段は意識しないぐらい当たり前です。そして、これらの根拠は、

6 なお、このような議論に終止符を打つのは、結論たる確固とした答えの獲得ではなく、議論の時間切れや、とにかくやってみよう！ という行動か、あるいは、諦めかのどれかでしょう。これは決して悪い意味ではなく、議論果て万策尽き、「もうこれしかない」という策の実践こそが民主主義の本来だったはずです。万民にとって都合の良いことというのはそもそも少ないもので、それでもあがいて議論するその過程を経ることで納得と同意を得る。これができなければ、民主主義は単なる人任せか、独裁的な政治に陥ります、歴史がそう語っているように。

aは、人間とはどうあるべきか、といった「人間観」

bは、会社とはどういうものか、業績とは？　といったいわゆる経営哲学、「経営観」

cは、政治はどうあるべきかといった「社会観」


といった「〇〇観」という単語で表現されるような、理想像やあるべき姿に対する考え、すなわち観念が発生源となっているわけです。観念は、その人の在り様《よう》の根源に位置するものであり、その人の考えや意見は、その表題という構図です（図3）。

たとえを付け加えるなら、一八世紀にリンネにより定義された「ホモ・サピエンス」という単語は、人間というのは知恵を持つ動物であるという人間観から生まれた言葉でした。同じく、ベルクソンは「人間ってのは、工作をすることが特徴だ」という人間観から、「ホモ・ファーベル」と定義。ホイジンガは文化の持つ遊びの要素を重視し、人間を「ホモ・ルーデンス（遊戯人）」とするなど、人間とは何かという観念が具体的な名付けとして表出している良い事例です。

急いで追記しますが、当然ながら観念そのものを述べる問いや意見も存在します。例えば、会社の研修において「私はどうありたいか」等、グループワークで話すような場面や、

図３　観念から生じる意見、考え

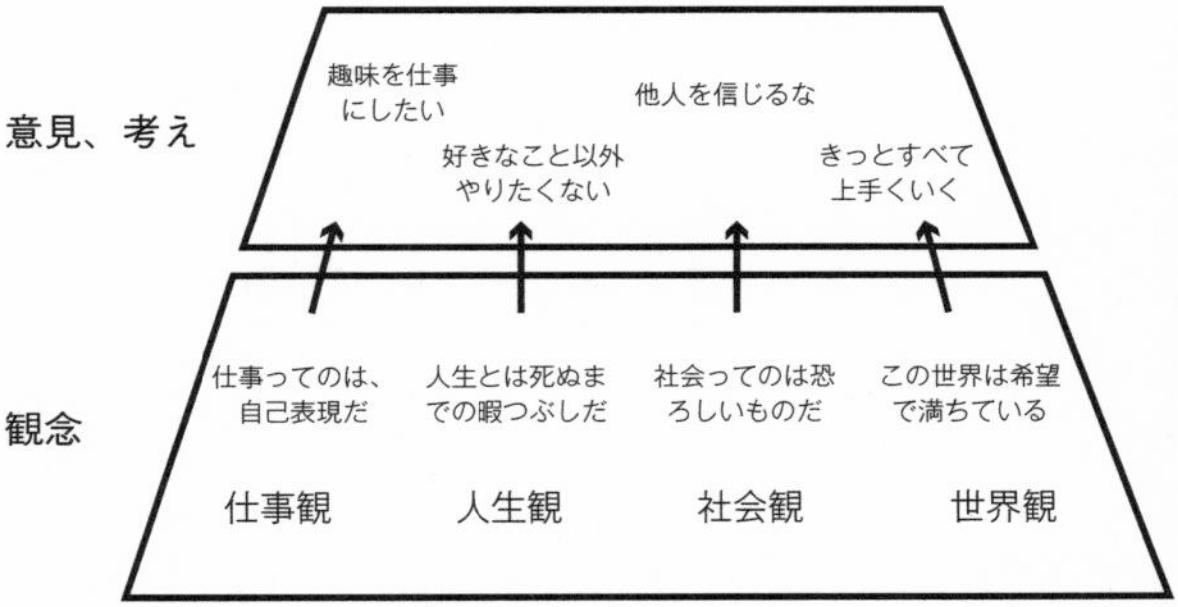
意見、考え
趣味を仕事にしたい
他人を信じるな
好きなこと以外やりたくない
きっとすべて上手くいく
観念
仕事ってのは、自己表現だ
人生とは死ぬまでの暇つぶしだ
社会ってのは恐ろしいものだ
この世界は希望で満ちている
仕事観
人生観
社会観
世界観

入社式や入学式にて組織のトップが述べる式辞の内容など。あるいは、会社帰りの居酒屋で泥酔した上司が部下に語る「仕事ってものはな……」という場面もそうでしょう。
残念ながら、観念に意識をむけ議論を行うことは、その重要性と裏腹に実在こそを重視しがちな現代においては少々困難な営みです。思えば世界的名著スティーブン・R・コヴィー『7つの習慣』で有名になった「人間活動4つの領域」図において、重要だが喫緊ではないの象限にあたるのがこの観念、すなわち、どうありたいか、そもそも何なのか、といった、そもそも論とされています。コヴィーは、このそもそも論の領域こそが極めて重要と述べており、これは本書で言う「本質」と同じ意味あいです。

†同次元での切り口・瞬発力勝負にしない

ある問いや意見に対してまっすぐ答えようとするのは、その問いと同じ次元に立っているということ。

「私は人間関係を損得勘定で考える人は嫌い」
「逆に私は、そういうところを認めない人が嫌い」

「いかに一つの仕事に没頭するか」
「いやいや、仕事は複数同時進行がいいだろう」
「政治家はみな既得権益を守ろうとする」
「お前だってそうだろう」

といった具合に……。このようなやり取りではなかなか建設的な議論ができないことに疑いはありません。やはり、問いや意見、考え単独ではなく、前提とされるその根拠こそを見ようとする仕方、つまり、その考えの前提を踏まえたもう一つ深い次元で考えることが、いい問い、すなわち本質的な問いに接近することになるのです。

ふと思えば、メディアやSNSにおいてさまざまな意見が飛び交っていますが、その記事や発言の前提、根拠までを射程に入れた対話というものにはなかなか出会えません。意見の交換が「こうだから、こう」の表層的次元にとどまるのは、本書で言うところの観念までを考慮して思索していないか、あるいは観念というもの、すなわち人や社会の在り方等を意識したこともないのか、そのどちらかなのでしょう。

例えば、現代人の通念として、国家権力は強固であってはならないという言説が多く見受けられます。既得権益を嫌う民営化推進論や、監視社会を懸念する意見がその類でしょう。他方、パンデミックの際に「政府には統率力がなく、そのせいで感染が広がった」という意見も多数あります。困ったことに同一人物がそのように発言している場合もあり、これこそが典型的な観念の不在の問題なのでしょう。自分の手の届く範囲、自分が理解できる範疇において、不都合をただ不都合だと指摘するという機械的な応答には、社会とはいかなるものか、という思索の痕跡を感じることができません。そして、あらゆる意見もその場面ごとの境界条件や背景があって生じたのだとの想いを馳せることができないため、限界や矛盾を感じさせない単色的な意見となるのでしょう。結果、意見や考えの瞬発的な視点や切り口勝負となっているのが現代のメディアの在り様なのだと思います。

†概念に先立つものはあるか

さて、この「問いを問う問い」にて本質を得るという論理に従うなら、問いや意見の発生源である仕事観や社会観といった観念、これもまたさらなる前提から生じていると考えることが自然な流れでしょう。

観念に先立つもの……それは広義での「歴史」といって大きな間違いはないと思います。ここでの「広義」は、生まれ落ちた国、地域の風土や慣習、育った環境や受けた教育（制度）、さらには、ゲノム情報等の医学的身体的因子をも含めたところでの、我々が生まれて死ぬことに纏わる総合全体的な状況を「歴史」とする意図のもとに使用しました。[7] その人その人の個人的な経験から、生まれ落ちた国や地域の時代としての歴史も含め、ありとあらゆる要因が連鎖し、重層化し、密接に相関しながらその人の考えが形成されていることはあまりに自明のことです。

我々の日々の体験は、個々人の経験だけで単独に存在するものではありません。素晴らしい眺めのツーリングコースを見つけたのもバイクがあってこそだし、SNSでの誹謗中傷で傷ついたこともSNSがあるからです。このような文明論的な技術発展のことだけでなく、ごく自然に口から出てくる「いただきます」、「ごちそうさま」（作ってくれた人や食

7　しいていうなら「運命」に近いかもしれませんが、その単語にした途端に非分析的な印象になってしまうために避けています。

材となった生命への感謝の念を表明する習慣は日本独特）のように、我々の暮らしは目に見えぬ形で風習や風土、文化の影響を受けており、全体たる歴史から個別たる個々人の経験を切り離すことは決してできません。

そう考えると、本章の前半にて、我々は問いを「持って」いるのではなく、問いの「内に在る」のだと述べましたが、それと同じく、我々は歴史を「知って」いるのではなく、我々が歴史の内にあり、むしろ歴史そのものというのがほんとうなのでしょう。言うまでもなく、おぎゃあと生まれた直後から、いや、胎児のころからも母体を通じて絶えずそそがれる言葉が既にして万年単位の歴史。であれば、言葉でしか考えることができない我々は言葉そのもの、ゆえに我々は歴史的な存在であると言い切ってなんの不都合もありません。

†言葉としての存在

我々が言葉そのもの、というのは伝達や思考の手法としての言葉の使用もさることながら、言葉に対して手法に留まらない特別な扱いを行っている歴史（経験）からもわかります。

例えば、第一に、表音文字、象形文字を問わず、言葉の語源に我々は原点や本質を見ます。「学ぶ」の語源は「真似る（まねる）」という有名な一解釈を持ち出すまでもなく[8]、言葉、文字の語源を人間の営みの原石とみなし、その探求は人間理解の貴重な一手法となっています。

第二に、言葉には霊的な力が在る、魂が宿っているといった考えが世界中の歴史に存在しています。『万葉集』にも記載がある我が国の「言霊」は言うまでもなく、世界中にある「呪文」もまたその類でしょう。「名付け」がその存在を規定するのは、陰陽師しかり、宮崎駿『千と千尋の神隠し』や、ハリー・ポッターにて「名前を言ってはいけないあの人（名を呼ぶと災いが起こるから）」とされたヴォルデモートもそうでした。言葉が単なる手法ではなく、我々の存在、生き死にに関わるものとして取り扱われているのです。古くは古代ギリシャのロゴスもまたそうです。言葉だけでなく論理の意味であったり、宇宙や真理の意味合いだったりもするのです。欧州に目を向けるなら、神の言葉と人間の言葉という

8　または、能楽師安田登氏によると、冠は両手、子は人間で「学」とは手取り足取り教える様子の表現という。

二分の取り扱いの話も想起されますし、東洋では、言葉、文字の洞察が極まるところまで達し、禅宗の「不立文字《ふりゆうもんじ》（悟りは文字や言葉ではなく、修行により心から心へ伝えるもの）」や「名前はない、仮に名付けて「道」という」といった老子の文字や言葉への究極的な態度が脳をよりぎます。（そしてまた話題は欧州に戻ってしまいますが）思い出せばプラトンもまたかの第七書簡にて「大事なことは言葉にできないからここには書いてない」と言い放ったのでした。本格的な記号や言葉の論は著者の域を大きく超えるため潔く省きますが、我々が言葉としての存在であるというのは、論理でも信仰でもなく、単なる事実です。

†私の歴史の前提を考える

話を歴史に戻しますが、歴史たる我々が有する人間観、社会観などの観念は、それゆえに歴史の産物であるとすることにさらなる説明は必要ないでしょう。

例えば、どの国でもかつては女性に選挙権はありませんでした。この男尊女卑の人間観は、現在を生きる我々が耳にするとギョッとする代物ですが、かといって今を生きる我々がその当時の我々を「ひどい人たちだった」と否定非難することはできません。それは傲慢というものです。当時はそれが一般的な考えで特段の疑いもなく、それはそのようなものであると思われていたのです。[9]

我々は、たまたま生まれ落ちた土地や時代、その歴史から決して逃れることはできません。私の場合は、日本の言葉、日本の文化、出生地と出身地の風土、そして、それらを含めた祖父母と両親と兄弟、はては現在の家族、友人、同僚、上司、師、——本書では、そういう環境要因を包括して歴史という言葉をあてているのですが——私は、この歴史が嫌だからといって捨てることはできません。私は私の歴史に埋め込まれており「私なりに」しか考えることはできないのです。

ただし、これは「私」から抜け出せないということと同じではありません。私は私流にしか考えられませんが、さらにその「私」の根拠、すなわち、私の歴史の前提をも考えることで、歴史から一つ引いた立ち位置に立つ（立とうとする）ことが可能です。

私、もしくは私の歴史の前提を考えるには、「私」というものを「他人」に置き換えて

9　もちろん、その過去の「現実」に違和感を持った人がいたからこそ、今の「現実」があります。依然として人権問題には課題も多くありますが、それでもここ数十年のうち大幅に進展した人類的課題の一つにあげられるでしょう。

考えてみることが一つの方法でしょう。右手の手袋を右手のみで脱げないように、私もしくは私の歴史を考えるために、他者の立場で思索するのは極めて妥当なやり方です。私も他人も同じ人間なのですから思考可能でしょう。そもそも私が私なのも偶然であり、私があなたであっても不思議はないのですから。つまり、私の歴史はあなたの歴史でもあり得たのです。

私が、日本で生まれて日本語で考える人であることから脱することは、人間であることから脱することができないのと同じように不可能なことですが、もしかしたらインドに生まれてヒンディー語で考える人になっていたかもしれない、と並列的に想像することは可能です。さらに横軸ではなく縦軸、異地域についての仮説ではなく時間軸で考えるなら、もしかして縄文人として生まれていたかも、とか。そうして空間も時間も超えたところで思考することは、いうなら、その場面の人間の心持ちを自分の内に呼び起こすことになるでしょう。その心持ちを「知る」のではなく「思い出す」のです。どの国、どの時代で生まれ落ちようが、同じ人間のすることなのですから。

「あぁ、もしかしたら自分がその時代の人間なら、とてもとてもあのようなことはできないだろう……現代では想像もつかないが、脱藩というのはお家は断絶、財産没収、場合によっては死刑にもなるのだ。自分の政治的な信条を貫くためというより、自分の「学問」の実践のために地位も名誉も財産も捨て、命をかけて学問を貫く生き様は、まさに知行合一。何も知識を増やすことが学問でもなきゃ、誰かにそれを教えることが学問でもないのだ……」

二〇二〇年の四月。今、こうしてパソコンに向かいながら、もしかしたら私が江戸時代の人間だったらと想像しつつ中江藤樹に想いを馳せていますが、同じ考えの仕方で、逆に四〇〇年前の江戸時代の「私」が、四〇〇年後の生活を想っていたかもしれない、未来の自分はどこで何をしているのか、といったふうに。これは、政治や経済動向、ならびに技術進展による生活様式の変化を想像するような未来予測ではなく、もっと文学的な想像の仕方、「思いを馳せる」という言葉に近い。あなたはビッグバンのとき、どこで何をしていましたか？

昨夜テレビで偶然見かけたモロッコのとある街。その街から生涯一歩も出ず黙って五人の息子を育てたあげたというあのおじいさん。冷たい石の階段に腰掛けるその老人がその人ではなく、私があそこに座っていたとしてもなんの不思議もない。「ここが儂の人生さ」。よく焼けた顔に深く刻まれた皺。パイプタバコの煙とともに吐き出されるこの言葉がやけに心に染み込んでくるのは、あの人もきっと私なのだからでしょう。

しかし、なぜかどういうわけか私は今京都の地でキーボードをパチパチ叩いています。いったいこれはどういうことでしょう。

この妙な感覚。私が私でないような、場所とか時間とかも一瞬で溶け、恐ろしくもあり豊かでもある、ふっと宙に浮いたようなどこか永遠たる心持ちになったのなら、それを存在の不思議と名付けたい。私の歴史を人間の歴史として自分と他者との境界が溶けたこの瞬間、歴史の「前提」に立ったと言え、そしてその前提とは「存在」としか言いようがないのです（図4）。

これは、これまで見てきた「問いを問う問い」という形式の果てに位置し、存在するから存在しているという根底的な大原理です。そして、わざわざ言うまでもないぐらいのあまりに素朴な単なる事実です。歴史もまた何かの結果でしかなく、その本源が「存在」なのです。

ふと思いついた問いにせよ、熟考を重ねた問いにせよ、その問いや意見の前提、さらに

図4　意見、考え、観念、歴史、そして存在の相対的構造

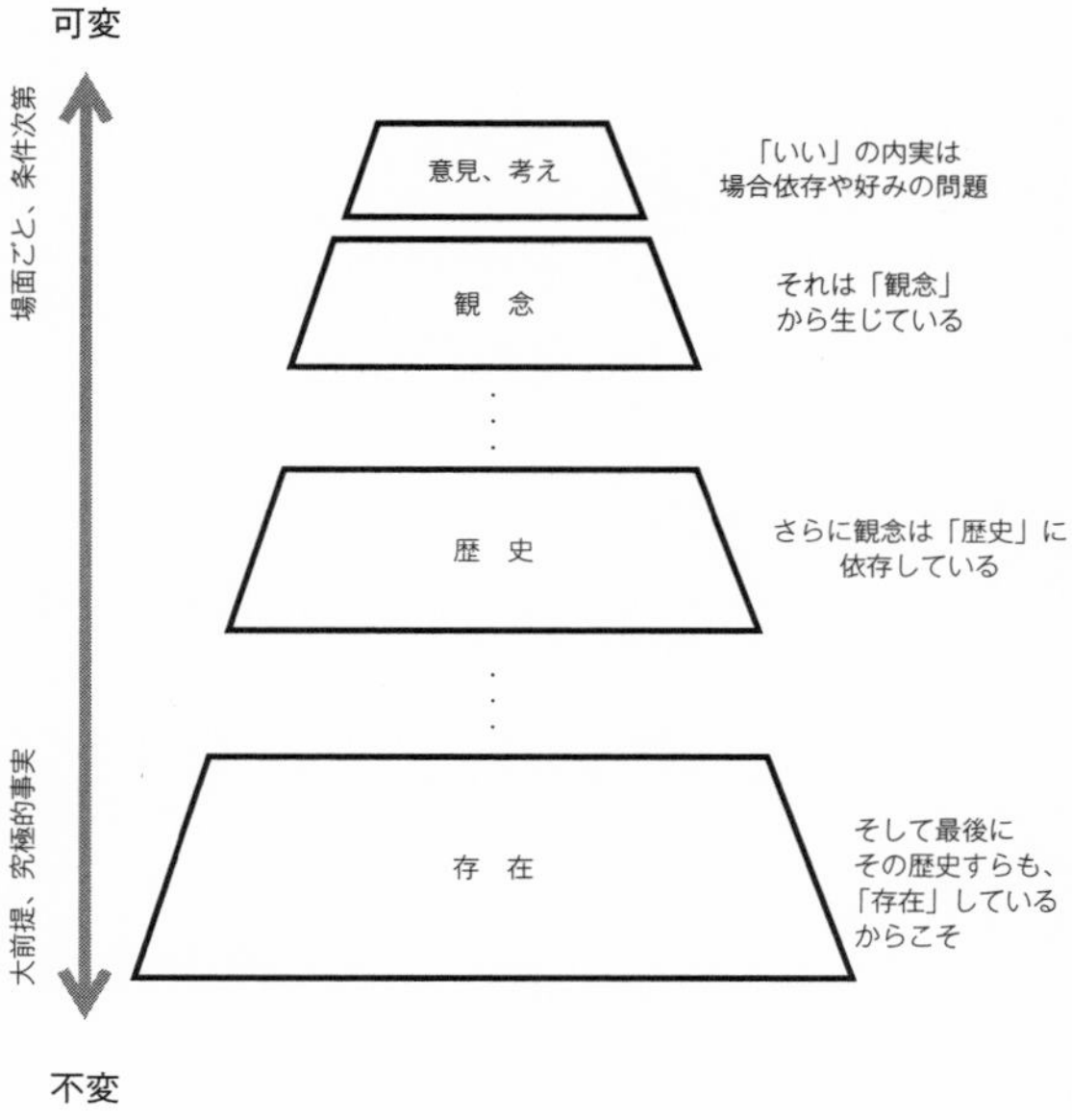

その前提の前提、前提の前提の前提の前提……その域まで考えてこそ場面ごとの問い、言うなら枝葉の考えから脱することができます。本書では、根本原理を踏まえたことを「本質的」とし、「いい問い（考え）」とは本質的な問い、としました。そして、その本質的の果てまで考えた結果に行き着いたのが、「存在」という事実だった、ということです。さらりと言うなら、なぜ「在る」かわからないけれど、「在る」から「在る」のです。

†枝葉から脱するには

念のためですが、なぜ枝葉から脱するほうがいいのかを考えるなら、第一に、枝葉は枝葉ゆえ多数かつ多種であり、それぞれに対応できるほど人生は長くないから。第二に、問いや意見を発するということは、たとえそれが愚痴や小言、あるいは反社会的な内容であろうと、何かしらの変化という希望を意図するものだからです。どのような変化であれそれが目的であるなら、より事象に対して効果的な影響力を与えられるほうがよく、であれば、枝葉一つ一つではなくそれが束になって存在する幹のほう、つまり（文字通り）根本に作用させるほうがよいからです。[10]

なお、これは枝葉の域での問いや考えを否定するものではありません。枝葉のない木は大きくなりません、枝葉あっての樹木ですから。ここで強調したいのは、枝葉であるなら枝葉であると自覚してことにあたる態度です。枝葉でありながらもさも幹であると思い込む精神には、それ以上の疑うべき前提が存在せず、したがって内省することはなく、本質には達しえずほんとうの「いい問い」は得られないでしょう。本書の冒頭で、答えがある問いと無い問いの区分に触れつつも、直ちに「そもそも問いがあるからそれらもある」側からみたらそれは些細なこと、と言い捨てたのはこの謂です。究極的に考えてこの世に無駄というものはありませんが、できるなら「解くべき問い」、「問いに値する問い」に人生を集中させたいのは、有限な時間を生きる我々誰しもがそうでしょう。なお、枝葉は枝葉なりの自負があって当然ですので「些末な問いであることはわかってる。でもそれが自分なんだ」という場合、そのような覚悟があれば大変に立派なことです。ただその場合、世間から見たら枝葉でも、ご本人にとってそれは紛れもない幹となっているのでしょう。

10　このあたりは誤解されやすいので補足しますが、影響力があったほうがいいというのは、社会を変えるためではなく、自分を変えるためです。社会を変えようとする人ほど社会は変えられません。それは社会を自分と別のなにか物的なものと捉えているからです。後ほど本書で述べますので読み進めて頂けたら幸いです。

話を戻しますが、私が今もっている問いは私のもので、それを「いい問い」にすべく「いい問いとは何か」について考え進めてきた結果、なんともその「私」のほうが曖昧であったという決して動かすことのできない事実に遭遇したのです。私はモロッコのおじいさんではなく私なのはいったいなぜなのか……。——あなたに会うために生まれたといった因縁、もしくは神の存在を持ちこまない限り——答えなどあるわけがないと一瞬で認識されるこの問いを前にして、我々人間はただ天を仰ぎ、嗚呼と言葉にならない言葉をもらすことしかできないでしょう。絶句という言葉はこういうときに使うのでしょうか。

「なんということだ……」

世の中にはさまざまな驚くべきことがありますが、それを驚いている自分がいること、自分が生きているという最も当たり前のこと、この「私」こそが最も驚嘆に値する事実なのです。世界に驚いているのではなく、世界が在ることに驚いているのです。

そう、歴史の前提としての「存在」は、歴史が在るから何もかもが在るという「この世の存在」のことではありますが、この世の存在とははからずも「自分の存在」ということ。この地点において、自分とこの世は完全に同じ意味なのです。

†「問いを問うた」論理の果て

自分が在るからこの世がある。自分が無くなればこの世も無くなるのかもしれないし、そうはならずに自分がないままこの世が続くのかもしれないが、それは無くなってみないとわからないこと。間違いなく、最低限、最小限において確信できるのは、今自分が「それを考えている」という事実のみ。同意にて、「自分とはこの世界のこと」という事実のみ……。

いうまでもなくこれはかの有名なデカルトのコギトです。自分というものを確固たるものと信じた結果の「我思う故に我あり」ではなく、徹底した懐疑の末にどうしようもなく認めざるを得なかったのがこの自分（＝世界）だったということに注意を払わねばなりません。つまり、エゴや我《が》の「私」ではなく、純粋に「考える」形式としての「私」です。

自分とこの世が一致したなら、たとえるなら、この世が白色のみの単色世界であったなら、あらゆるものとものの区別がつかないように、自分もまた同色となって外界と溶け込み、自分が一切無くなるということになります。[11]

この地点が「終点」です。問いを問う形式で考え進めてきた論理の果てであり、公然たる事実を突き詰めていった結末です。自分は、無い。

かつてヘラクレイトスは、「深淵の際までは行けるだろうが、その底を覗くことは決してできない」と言ったそうです。古来まれたる哲学者、偉人たちもこの時点において、なんとか、深淵と称した自分は無いという事実（＝虚無＝真理）に飲み込まれることなく、いうなら、あちら側にいってしまわずにこちら側にとどまった人格なのでしょう。あちらに行った人たちは黙って生き黙って死んだ。あるいは気が触れて死んだ。そのため歴史に残っていないのです。そして、達しつつも黙っていた人格たちを、（ほんとうの）哲学者たちが理想としていた気持ちがよくわかります。黙らずに語ろうとするなら、——ほんとうにほんとうのこと、「本質」なるものに迫ろうとする場合においてのみ——必ず二元論の矛盾（後ほど述べます）と向き合うことになり、どうしてもどこかで調整し辻褄をあわせる必要が生じるからです。そうしないと保てないのです。新しい概念や専門用語を導入したり、あるいは誰かを否定したり……。我々が何かの精神に触れ感動を呼び起こすとき、そういう矛盾と葛藤を原点とする止むに止まれぬあがきにこそ、深み、凄みを感じるのでしょう。だからこそ、直ちに「自分はわかっている」「答えがある」「誰それが悪い」などと言い放つ精神を軽蔑するのでしょう。そんなにはっきり言えるほど真理は生半可なものじゃないよ、と。そう言えるほど、自分とは確固たるものじゃないよ、と。

ついでながらそう考えると、（西洋、東洋と分けるのは不毛とわかりつつも）禅という思索の歴史を持つ我々は端的に不可知との相性がいいと考えます。四の五の言わず「もう、わ

11　本書では、存在については存在することを前提としました。つまり「存在がなぜ存在するか」というハイデカーの問いまでは踏み込みません。それは、やはり無いことは考えられないとどうしても考えるからです。したがって、世界も在ることを前提としました。当然ながら各自において各自の世界があるという論を展開しているわけですが、各自の世界はなぜだかわからないけれど言葉というものの存在によって共通されている在り様《よう》なのだと考える時点で、単なる独我論とも異なると思っています。ついでながら、言葉についてもそれなくして考えることができないため、言葉への全幅の信頼と究極の疑いを持ちつつ使用し、その在り様について問うことは停止し言葉を前提としました。言葉について考え詰めるなら、それは矛盾の表出となり一切語ることをやめなければなりませんが、こうして書いている以上、その疑問を持つことは許されないわけであり、一定の覚悟のもとに言葉を綴っている次第です。この場にて結論的に一言申し付けるなら、本書では、いずれもいわゆる素朴な実在論、認識論に立っていることを確認願えればと思います。

かっちゃった」、それだけで済む話なのですから。言葉は疑われ、自分すなわち人間も疑われ、自分なるものが絶対的不可知と重なったなら、そりゃあ、月を見ただけで笑いの一つも出てくるのでしょうね。

「いやいや、自分はないというが、これを読んでる自分はいるじゃないか」と感じることでしょう。そう、確かに自分はいます。他人と話し、物に触れることができ、腹が減れば食し、怪我すれば血が流れる身体が確かにあります。しかし、ここまで述べてきたように考えてみたら、自分はいなくなるのです。自分がないのに自分がある……このようなとんでもない矛盾、大矛盾の上に自分の存在が成り立っているということを認めざるを得ません。

これは言葉の限界なのでしょうか。我々の精神がまだ未熟だから矛盾を解決できないのでしょうか。もっと学びもっと考えればこの大矛盾は解決し、自分だろうがこの世だろうが在るものは在ると矛盾なくすっきり言えるのでしょうか。「在るものは在る。無いものは無い」。思えば、この言葉は三〇〇〇年前のパルメデウスの言葉でした。

二〇二〇年、一生懸命考えてたどりついた先が三〇〇〇年前という事実……。人類は、総じてみれば豊かになり、政治や制度は多くの人権を認め、さらには我々は月にまで行けるようになりました。が、精神のほうはこの古代から何か熟したと言えるでしょうか。いや、ここから何も発展していないのではなく、すでにこの古代のこれが原点だったとも言えます。進展していないのではなく既に「達して」いた。詰まるところ、この古代の精神が現代の精神でもある不変は普遍の証拠としてみてもいいように思います。[12]

†そして始点へ

ついでながら、我が国の「もののあわれ」もまたその矛盾に対峙したときの感嘆なのでした。ないのにある、言い換えれば、あるのにない。つまり、あるとないで合一であるにもかかわらず、あると言うためにないを言わなければならず、ないを言うためにあるを言わなければならない。その言葉に出来ない心象は、文字通り言葉にできずに、歌や、詩や、

12　であるなら、この精神の極みをなんとか得ようとして誰かに教えを請うとか古典を学ぼうとする必要はなく、我々は「思い出す」だけでいい。これは何も学ぶことを否定しているのではなく、得ようとするものは外にあるのではなく内にある、その構えをもって学ぶことが何よりも大事と考えるためです。前著（『学問からの手紙』小学館）でも述べましたが、やはり詰まるところ「学ぶ」とは「自分を学ぶ」ということなのです。ただし、自分なんて無いですけどね。

舞や、像や、あるいは、ただ口を閉じて黙ってきたのでしょう。わかることなど大したことないと言い放ったのはヘーゲルでした。我々がわかるためには一度人間をやめなければならないのでしょう。「人間、死んでから人生」(文学者・磯崎憲一郎氏)とはこのことでしょうか。

仮に、あるということをないを言わずに言うことができたなら……。メビウスの輪のように物的にはこんなに簡単にも一元論を手中にできるのに、なぜ精神の原則では不可能なのでしょうか。やはり、言葉の限界なのでしょうか。善があるから悪がある。生があるから死がある。裏側から見れば、悪があるから善があり、死があるから生がある。我々の根っこにあるのは、何も確実な事実ではなく、こんなに両義的なものなのです。そしてそれが人間が意識をもった有史以来の不変であり単純な真理の「形式」です。

そして、救いがあることに、実はこの終点が「始点」でもあります。

自分が無いと知る。そこに自分の意思が立ち上がる。自分がないのにそれでも自分がある。それでもこうして考えている。であれば、何を考えましょうか。何を問いましょうか。

いったん真っ白になったこの世をもう一度塗り直す営み。誤解を恐れずに言うなら、あなたがこの世の想像主になったとしたらどのような世の中にしますか。そう、我々は実に（真に）自由な存在なのです。

言うまでもなく、自分以外の誰かやどこかの組織に、「あなたは自由です」と認められてようやく獲得するような自由は、ほんとうの「自由」ではありません。それは「権利」に近いものでしょう。そのような許可や認定を受けるはるか前から、我々は「自由」です。社会や制度はつまるところ人間が作った（作ってしまった）人工物であり、そういう人工物がどうのこうのという以前に、我々は自由にものを考え自由に行動できる存在という意味です。

「え？　全然、自由じゃないですよ。会社に縛られ、家庭に縛られ、全くやりたいようにやれていません」

なんて思われた方もいるでしょうが、いつ何時でもこの瞬間からでも、それらを手放しどこにだって旅に出かけることができる、つまりそれを「する・しない」のどちらかを選択しているのはあなた自身であって、やっぱりどう考えても我々は本来的に「自由」です。したがって、極論するなら……などという修飾語をつけるまでもなく、すべては自らが選択した結果であり、この世のすべてにおいて誰かや何かのせいにできることなど何一つとしてない、というのは、あまりにも当たり前の事実です。これは小賢しい責任論などではなく、全宇宙の認識についての話であることに注意してください。そう、ほんとうの「自由」とは「孤独」という意味に近いのです。[13]

そうして白色の世界に何か色を塗ろうとしたその瞬間、はたと立ち止まって考えてしまうのが、自分はどうしたいのか、という問い。すべての選択が自分なのですから、無数の選択、無数の問いの結果として浮かび上がってくるのは「自分の在り様」になります。

自分は何者か。

白紙の世界にて、もしこれがわかっているならば何も迷うことはないでしょう。枝葉は枝葉、幹は幹と峻別でき、これは自分が持つべき問いか否かがわかることでしょう。論理的な解が正しいと思うのもそういう心情の結果でしかないと気づくでしょう。自分の意見に固執したり、目先の勝ち負けに拘ることがなくなるでしょう。すべてが腑に落ち、すべてが自分の内にあり、何もかも許し、何もかも受け入れることでしょう、なぜならそもそものところですべてが理解できないものの上に成り立っていると知っているのですから。すべてがあまりに当たり前のことで、同時にそれがあまりに恐ろしいことだとわかるでしょう。

そして、いったん、真っ白な世界に達した後ゆえ、自分はこれ！　という盤石たる確信など、何一つ無いことにも気づいています。そこまで人間の精神はすっきりと作られていないことは、これまで見てきたように、我々の存在が大きな矛盾のもとに成り立つことからわかったことですから。真っ白な世界から新たに塗り始める営みにおいて、自分の見方が世界の見方とわかっているなら、自分は自分の見たいように世界を見ているというまっとうな危惧を持つことができます。[14] 存在の側からみた自己点検に合格することは相当な困

13　なお、「自由＝やりたい放題」と考えるのは、自由の対義語を「束縛」や「責任」とする考え方から生じたものです。それは人工物の域であり枝葉の域です。その束縛とは何か、責任とは何かと考えることこそ、我々の存在の土台の部分について意識を向けることであり——それがすなわち幹の域です——そうすることで我々本来の性質（有り様）に気づくことになるでしょう。

難であり、絶えず自己内の矛盾、葛藤と戦いながら自身の精神を維持しようとする努力が「内省」なのだと思います。前述において、「自分が何者かわかれば、」と論を起こしましたが、正確には、自分は何者かを絶えず疑い続けることが「生きる」ことなのでしょう。

古来まれたる哲人、偉人たちは、その不断の努力、強靭な精神の力で、あるいは何かに突き動かされて没頭することで身を切りながらも、不変から可変まで一気に貫く精神をもってして、この世と自分を一致させた域で生きた人物たちです。生きることと考えることの同一とは、この域でこそ相応しい。

哲学をやられた方、禅に通じておられる方は、直ちに「無私」を思い出すことでしょう。西田幾多郎しかり、道元しかり、実業界でいうなら稲盛和夫氏しかり。いずれも無私を字面で知るのではなくそれを生き方としてきた偉人たちです。無私にこそほんとうの自己がある。偽物ではない本物の思想や芸術はそこから生じたものであることは、歴史の確信です。

ここまで来るといよいよ「本分」という言葉を持ち出したくなります。結論を先延ばしにしてきましたが、どのように考えても、ほんとうのところでの「いい問い」とは本分、もしくは本分に触れる問いのことになるのです（図5）。

†達成の有無は問題にはならない域

本分において、理念なき行動、もしくは行動なき理念となることはありえません。それを本分の定義としていいほどに、です。これが我が生であるという覚悟とともにある確信には、小利口な戦略と気の利いた実践を区別して推進させるような段取りは一切不要です。これは目標達成へのあらゆる努力を否定するのではなく、計画が悪いとか、やり方が悪いとか、あるいは綿密な計画は立てたからあとは実践だという、考えと行動を分断して考える仕方を疑っているのです。

誤解を恐れずに言いますが、本分においては、その成功や達成は必ずしも必須ではありません。いずれ死ぬ人間が何かをやるということは、一秒後も今と変わらず世界が存在す

14　ビジネス界においてバイアスを取り除くことが大事とはよく言われるところですが、論理で考えれば言うまでもなくそもそもすべてがバイアスなのです。バイアスとは取って付けられるようなものだと考えている限り、その場その場での対処の域を超えず、絶えず「バイアス狩り」の作業に追われることになるでしょう。

図５　問いの循環

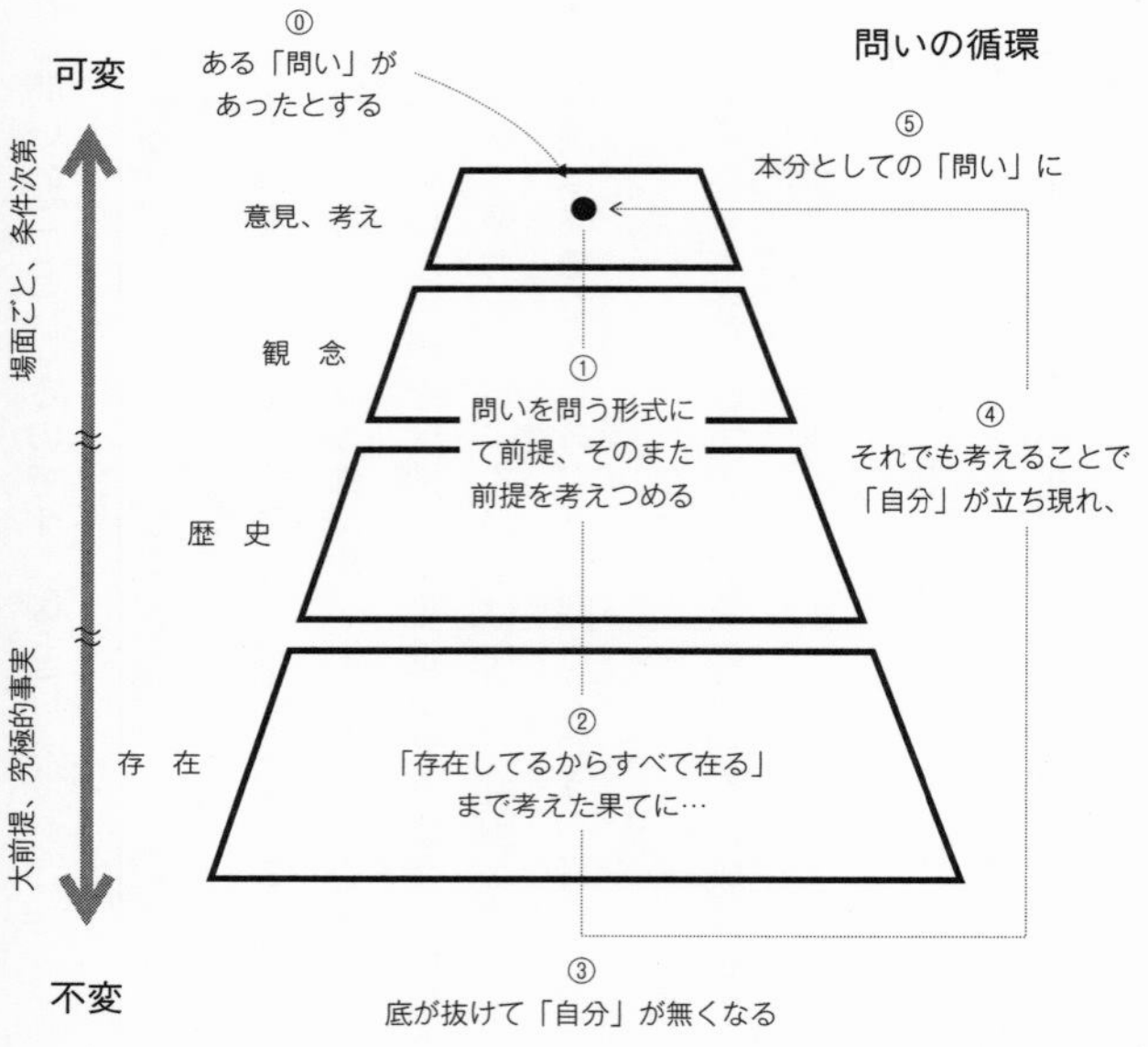
問いの循環
可変
不変
場面ごと、条件次第
大前提、究極的事実
⓪
ある「問い」が
あったとする
意見、考え
観　念
歴　史
存　在
①
問いを問う形式にて前提、そのまた前提を考えつめる
②
「存在してるからすべて在る」まで考えた果てに…
③
底が抜けて「自分」が無くなる
④
それでも考えることで「自分」が立ち現れ、
⑤
本分としての「問い」に

ることと、自身の死後も世界が継続していることを前提とせねばならず、存在まで疑った果ての行動においてはどこまでもそれを括弧にいれた仮置きとしているため、達成できなければできないで、そのようなものである、と認識するだけです。まして、不断の努力の末の失敗や未達成はすべてが自分の糧、同意にてこの世の糧でもあるわけですから。当然ながら、自分が何者かを疑いながら生きるように、本分もまたそれを疑いながら生きるのでしょう。だからこそ本分を自覚した者は、反省し、内省し、学び、他者の声を聞く耳を持つため、自分とこの世の全体的な理解、受諾へと扉が開いているのです。[15] 得てして哲人、偉人たちがみな謙虚なのはこの理由によります。本分として生きているのです。

伴って付け加えなければならないのは、本分とは、何か自分の使命めいた仕事や目標を持つことに限らないということです。有限の時間、つまり有限の身体を持つ我々において、願うようにことが進まないのは、——例えば欲望は尽きないという言葉を持ち出すまでもなく——なぜこうなのか全くわからないけどその有限なる身体の内側に無限なる精神が合一されているからにほかならず、自分はほんとうはあれがしたいのだができなかったとい

15　ミルやフンボルトならここで「人間精神の完成」というでしょう。

う人生がそもそも普通のことだからです。したがって、このような未達や未完も含めて感受し、受容し、納得することが「本分」の在り方となります。[16]

古来まれたる哲人偉人のように考えと行動が一致した域、本分として生きられればいいのですが、なかなか我々凡人には難しく、ときに「自由」を求めたり、ときに「命令」を求めたりと、整合がとれないことばかりです。例えば、この前提を持っているならこの発言は出てこないはずだ、といったように。秩序立てが混乱し、図5のような綺麗な土台の積み上げにならず、ガタガタに積み上がった積み木のように、なかなか首尾一貫していないのが現実でしょう。

このガタガタをなんとかしようと、自身の内に秩序と整合を保とうとする際、観念までもが物的な取り扱い方に侵食されている我々現代人においては、例えば、ジレンマへの対応は、双方の価値を絶妙にバランスさせることが大事、などという言に同意したくなりますが、それは、そういう物的な対処以外を忘れているだけです。これまで見てきた考えの仕方、すなわちその意見や考えや価値の根拠や前提こそを見る……。そうしてジレンマを受領することが本分につながる、というのが本書の論、——「本書の」というより「誰でも」が論理として考えればそうなる、と思って書いているのですが——そうすれば自分のどの選択にも間違いはないと考えることができるでしょう。責任を取ることができるでしょう。正しい答えを得ようとするのではなく、自分の答えを持とうとする。そうして精神が成熟し、どこか悟ったような雰囲気を人格がまとう。我々は哲人偉人に対してオーラがあるという言葉を使いますが、それはこの理由なのだと思います。

†他者との対話の意味

「いい問い」とは何かについて考えてきた第一章はこれで閉じますが、補足的に別視点から二つ述べます。

一つに、「本質的」であるには、今回のように前提、すなわち大本を探っていく方向でも、あるいは、何のためにそれを問うのか？　という先を見つめた方向でもどちらでも構わないということ。原因論的に現在は過去の結果としてあるのか、あるいは、目的論的に理想や希望があって今があるのか、どちらでも考え詰めればたどりつく先は間違いなく自己の、同意にてこの世の「存在」です。両方とも方向が違うだけで「なぜそう考えるの

16　「本分の在り方」を「幸せの在り方」と置き換えても差し支えありません。

か」という問いの形式は共通しているからです。

そうして本書では、問い、すなわち考えを内面的に深掘りする論理で考えを進めてきたわけですが、議論に他者の存在を含めるなら［図6(a)］のようになります。

これまでの図において使用してきた大きさの異なる台形の重なりを直線と円弧からなる図形にて表現しています。人によってその円弧の形状は違うものの不変部分は必ず共通します。人が何を当たり前とし、自分の世界をどう理屈づけているのか。その相違を円弧の重なる面積や場所によって表現しているわけです。言うまでもなく重なり合う部分は同意し共通可能な考えであり、その領域は不変に近くなるほど増加します。我々が同じ人間であるので当たり前なことです。

得てして異分野との対話においては、目標、目的を共通させて話すことが大事と言われます。もちろん私はそれに同意しますが、これまで見てきたように、その目標や目的もまた「その人なりの当たり前」に依存しているもの。したがって、より土台、より根本へと意識を向ける考えの形式は、目的や目標共有よりもより本質的な仕方とも言えます。

他者との対話の意味は、円弧の形状を明確に意識することにあります、自分のも、他者のも、です。なお、白紙の世界を自分が塗りたいように塗っている事実において、その他

図 6(a)　他者との対話

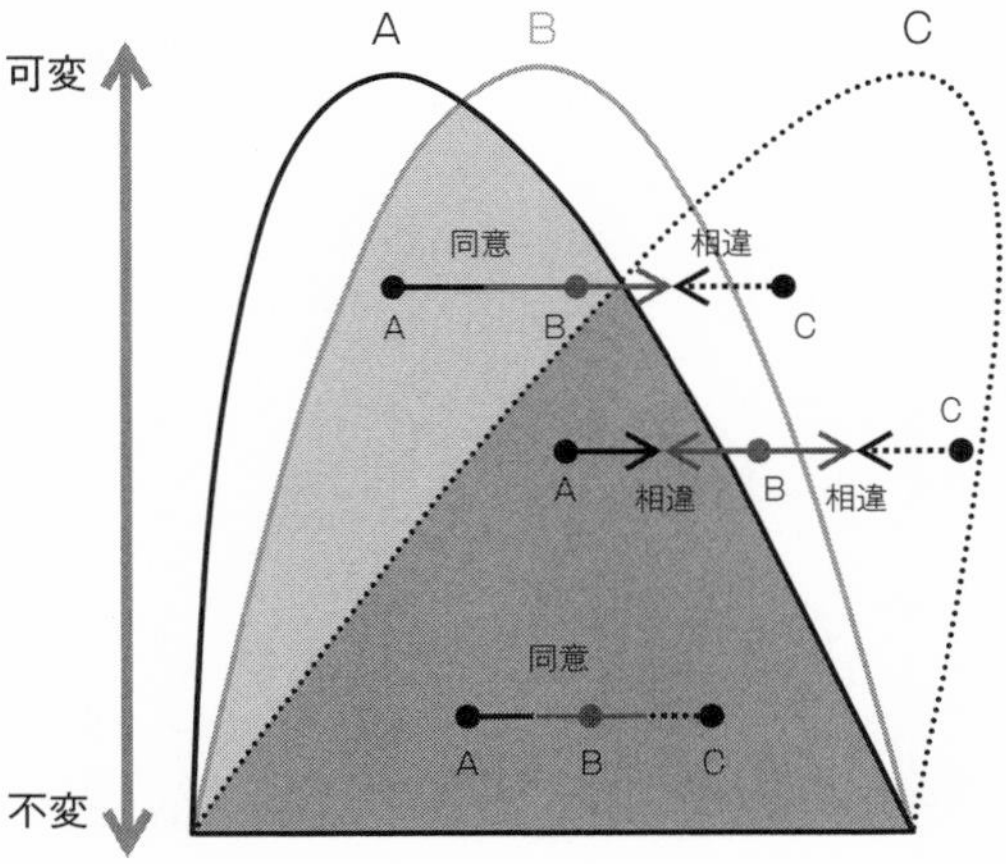

人もまた自分が創造した他人であるので、

あの人があのような考えを持つのはどのような理想を持っているからなのか
そしてその理想はあの人が世界をどう見ているからなのか
それは自分の見方とどう違うのか
そして自分と違うあの見方を持つ人をなぜ私は創ったのか
その事実をどう受け止めればいいのか

となるでしょう。どのような対話も最後は「自分」に還ってくるという次第です［図6(b)］。念押ししますが、これは決して他者との対話を軽んじているのではありません。本書では徹底的に自己を問うていますが、決して、他者との対話、個人は全体の関係性の中に内包されているといった循環、円環を軽視しているのではないことに、くれぐれもご注意頂きたいです。「すべて自分」というのは、そういう他者との対話、周りとの関係性こそを自分はどう考えるか、という態度の話をしたのです。他人との対話にこそ自分のものの見方を客観視するきっかけが存在し、特に安心して自分をさらけ出せる相手、愛情こめ

図 6(b)　他者との対話＝自分との対話

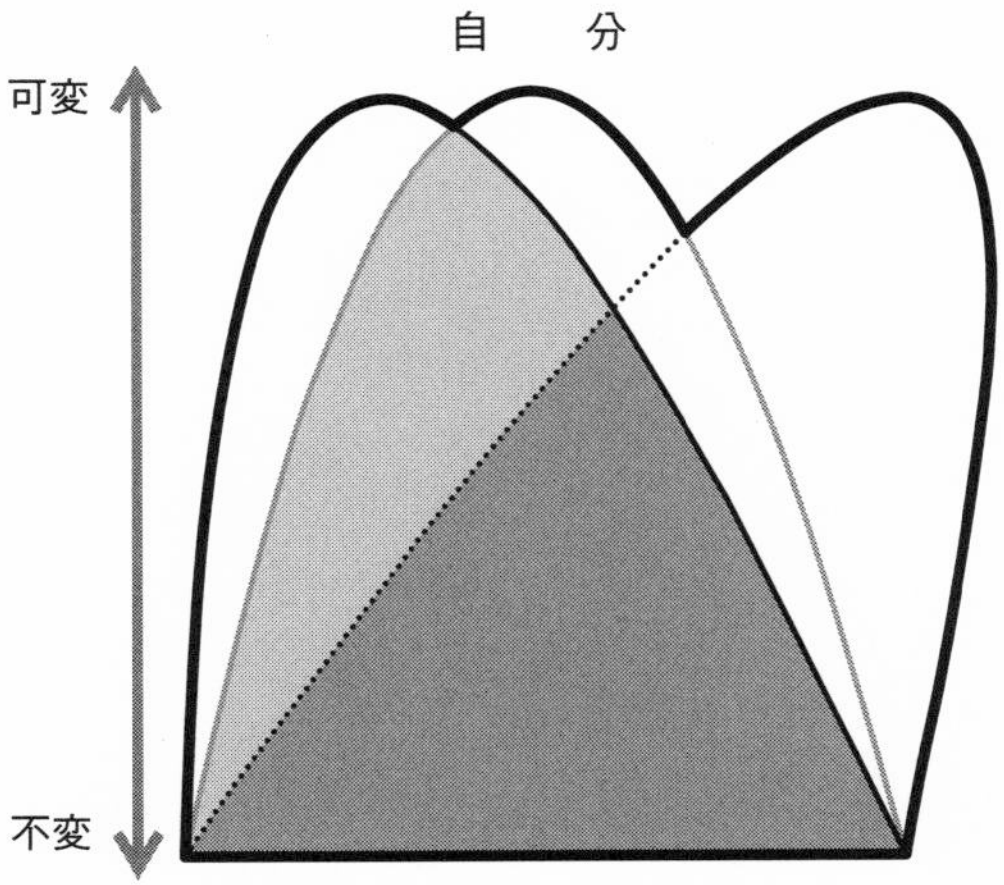

て真摯に意見をくれる相手との対話には何に置いても代えがたい価値があるのは言うまでもありません。このような対話により、いつでも自分を変えられることでしょう。

†本分は「一番やりたいこと」とは違う

二つ目に、本分と聞くといくぶん大げさな感じに思える方へ補足します。

例えば、あるプロジェクトのテーマを考える場合。当然ながら、そのプロジェクトの目標や目的、予算や規模感など、さまざまな諸条件のなかで目標を達成するテーマを考えることになりますが、そのテーマ設定において何を一番大事な根拠として考えるか、その納得が本分につながる箇所です。他社はこうやっているから、という競合や社会の動向や、顧客がこう求めているから、というニーズ思考といったいわゆるマーケティングが根拠の場合もあれば、社長がこう言っていたから、とか、本社の指示だから、という場合もあるでしょう。

このような文脈で書き連ねると、続けて「そういうのもそうだけど、とにかく自分が一番やりたい！　と心から思えることが大事だ」という文章を連想しそうですがそうではありません。当然ながらそのような自身の考えや希望の実現が第一とは思いますが、その考えに強い確信を持てることは希でしょうし、何より自分はそこまで正しい存在でもない、自分が見たいようにしか世界を見ていないから、です。それに「他者が喜ぶことが自分の喜び」という信条、本分の場合は、社長の意向に従うことが最大の願いとなるでしょう。

このように、心からやりたいことをやるというのもそれほど単純な話ではありません。言いたいことは「そういうさまざまな状況や要因を考慮しつつ自身の考えをバランスさせる」というのではなく、そのような状況すべてが自分の世界と受け止める形式です。何をやろうが、どうしようが、すべてあなたの世界です。逆境も順境も、幸運も不運も、すべてが、です。このように考えることが本章で丁寧に考えを追ってたどり着いた事実であり、このいかんともしがたい原理の認識を持ってでも踏み出す一歩に、人は本分を感じるのだと思います。なお、この地点においては、我々が通常使用している「気分的」の意味合いが移ろいやすく感情的なものという意味合いから、自分が自分であることの確固たる根拠に変わります。なぜなら、考えて、考えて、考えて、考えた先にあったのは自分が無くなること、つまり「考えが無くなる」ということ、だったのですから。考え果てた後に残る心身の感じ、情動は何よりも本分の道標となります。

思えば、ニーチェも最終的には「身体に聞け」と言ったのでした。禅の思想もまたこのような考えに同調するものですし、自身の内なる問いこそが自身を成長させると言ったのは、近代の大学の創始者フンボルトでした。少々長いですが、リルケの「若き詩人への手紙」から引用します。

「あなたは外へ眼を向けていらっしゃる、だが何よりも今、あなたのなさってはいけないことがそれなのです。誰もあなたに助言したり手助けしたりすることはできません、誰も。ただ一つの手段があるきりです。自らの内へおはいりなさい。あなたが書かずにいられない根拠を深くさぐって下さい。それがあなたの心の最も深い所に根を張っているかどうかをしらべてごらんなさい。もしもあなたが書くことを止められたら、死ななければならないかどうか、自分自身に告白して下さい。何よりもまず、あなたの夜の最もしずかな時刻に、自分自身に尋ねてごらんなさい、私は書かなければならないかと。深い答えを求めて自己の内へ内へと掘り下げてごらんなさい。そしてもしこの答えが肯定的であるならば、もしあなたが力強い単純な一語、「私は書かなければならぬ」をもって、あの真剣な問いに答えることができるならば、そのときはあなたの生涯をこの必然に従って打ちたてて下さい」（高安国世訳）

元も子もなく、救いもない結論で申し訳なく思います。結局、「考えよ」の一言なのですから。序で示したように、本書は答えを持っていない、とはこのことでした。「詩人の言葉を持ち出されても、私の業務とは程遠い」と思われた方もおられるかもしれません。しかし、それが本分か？　という問いは、どのような仕事（生き方）にも適用される不変です。

世の本では、成功者によるその体験記的な叙述や、ハウツー的方法論が大半を占めるように思え、洋物のビジネス本でも問いをテーマにしたものは数多くあり、大抵はウーバーやアマゾン、一昔前ならコダックやデルなどの企業調査から「いい問い」が生まれるルールを探し出そうとするものです。事実、そこから学ぶことも多く、わかった気になり、うまくいく気になります。しかし、そればかりになってはいないか、というのが本書の動機でもあったわけです。深く考え、認識することで、間違いなく結果も変わる。それは上手くいくとか上手くいかないとかを超えた域で、必ず自分に還ってくる何かとなる……。その考えの形式を本章で追ってきたつもりです。

それでもまだ不十分であることは承知しており、次章ではさらに解像度を上げて問いを掘り下げていきます。

第一章　補足

抽象度がさらに高くなる次章に移る前に、本章の内容が場面ごとの現実とどう結びつくかについて考えておくとします。

序でも述べたように、場面ごとの問いについて考えるのは、どうしても私が答えを持っているような書きぶりになってしまうため本当は避けたかったのですが、理解を深めるために必要と思いなおしました。本論の方は誰のものでもない考えを考えた結果でありますが（それに挑んでいるのですが）、以下の補足は本論の考えをもとに各場面ごとの問いについて考えた一例としてお読みください。

†「新規事業」という問い

新規事業や商品開発を考えておられる方には、この第一章の内容はそれなりに深く受け止めていただけたかもしれません。

多くの国民に一通りのモノが行き渡り、わざわざ消費者の潜在的なニーズまで発掘して「こんなものがほしかったんでしょ?」という形でしかモノやサービスを提供し得ず、身の回りには「なくても困らないもの」が溢れかえり、課題解決（であるならなんでも善）という名の免罪符がまかり通っているこの現状において、今から何かを生み、立ち上げるというのはまさに五里霧中の状態でしょう。それを踏まえつつこの第一章の「前提を問う」という考えをもって「新規事業立ち上げ」という八文字に向き合うなら、やはり、なぜ新規事業を立ちあげなければいけないのか、という問いからすべてが始まるように思います。

「いやいや、どういう新規事業ならうまくいくかが知りたいのだ」という方は他に良本が多数、――選びようがないぐらいほんとうに多数《あまた》――あるので、そちらをお読みいただければと思います。ただし、なぜそんなに数多の気の利いた問いの立て方の本があるのか、の理由に注目したのがこの本の主旨とも言えるわけで、枝葉ではなく幹の仕事がしたいのであれば、やはりこの本書の考えに行き着くように思います。

†「思考の殻」に気づくために

あらためて、なぜ新規事業を立ち上げなければいけないのか、について考えますと、直ちに思いつくことをいくつか列挙するなら、

他社の追い上げに対抗するため
シェアの確保のため
既存事業の立ち枯れのため止むなく

などなど、いろいろな理由があるでしょうが、本章の論理から言えば、この「新規事業立ち上げの理由」の理由も考える必要があります。

他社の追い上げに対抗しなければいけない理由、シェアを確保したい理由、既存事業の代わりとなる新しい基幹事業を育てたい理由、それらは、おそらくは時代情勢の変化に対応しないと会社の売上げが減少し先細りになるから、としておいて間違いはないでしょう。

二〇二〇年の時代情勢について詳細に述べることはしませんが、産業関係についてざっ

と物の本やサイトを調べた限り、

・企業のSDGs（Sustainable Development Goals［持続可能な開発目標］）、ESG（Environment［環境］、Social［社会］、Governance［企業統治］）への取り組みが必須となる傾向

・DX（デジタル・トランスフォーメーション）といわれるデータやデジタル技術の活用がより一層進展し、組織（企業型からプロジェクト型へ）やビジネスモデル（所有型からサブスクリプション型へ）等に抜本的な変革が生じる傾向

・中国勢企業のグローバル展開にともない、世界経済を牽引する米中の対立が続く中、世界的パンデミックの影響も重なり、世界はブロック経済へと傾くか

といったところでしょうか。確かにこのような羅列を見るとなんだかソワソワした心もとない気分になります。動き出さないとまずい、どんどん取り残されて売上げが減少する……。そういう感覚が沸き起こります。

しかし、ここで本書の論理に従って前提や根拠を問うなら、こう考えることができます。

売上げが減少したら何がまずいのか？　と。それは会社が潰れるからか？　潰れたら何がまずいのか？　社員の収入がなくなり生活できなくなるからか？　であるなら「生活」が目的なのか？　であれば、どのような内容であれ、どのような手段であれ、とにもかくにも儲かることを考えればいい、となります。麻薬でもなんでも売ればいい。

さらに新規事業・新商品開発の理由として「利益の増加」と置くなら、こうも考えられます。増大させることは何がいいのか？　より儲かるからか？　儲けるのは何のためか？　設備投資によるさらなるシェア獲得か？　どこまで拡大すれば満足なのか？　ゴールはどこか？　全国民、全人類が貴社の製品を持つまでか？　あるいは拡大したいのは、先と同じやはり「生活」か？　今よりよい生活が望みか？　先と同じく、それはどこまでいけば十分なのか？

攻撃的な言い方で申し訳ないですが、これも考えを深めるためであり、知らず知らずにまとっている思考の殻に気づくためです。本章の論理に従い、このように前提を果てまで考えてみれば、我々はいかに盲目的に利益や拡大をよしとしていたかに気づきます。これはたかだか数百年前から生じた進歩史観と言われる観念が源泉となっています。機械や電子機器のように、絶えず後発は先発より高機能となっている「当たり前」を、思わず物以外のもの、すなわち人間精神、人生、そして仕事や会社にも当てはめて考えてしまう癖のようなものです。どんどん人が買えばいい、どんどん人が集まればいい、とした結果、どんどん忙しくなって本来の目的を横置きした、というより横に置いたことすら忘れてしまった。その代償として、我々は自分自身が今幸せかという問いすら思い出せないでいるように思います。自分が欲しくないものを（仕事だから）作って売る、自分がして欲しくないことなのに（仕事だから）する、ここまでやると甘やかしになって逆に利用者のためにならないとわかっていても（仕事だから）そういう製品、サービスを提供する、というふうに。[17] これは単純に便利や効率を悪とする思考ではなく、何のための便利で何ための効率で何のための利益かを考えよ、というシンプルな基礎論です。基礎を忘れては、いかなる新規事業も商品も枝葉あるいは付け焼き刃にしかならず、我々の暮らしの定番や基盤を更新することなく次々と「新しさ」を投入し続けることでしか全体を維持できなくなるのはごく当然の結果です。

　と言いつつ、私とて企業は社会の公器たる存在であり、おのおのの企業理念のもとに在ることぐらい分かっています。売上げが落ちれば、企業理念を達することができないのですよね。では、問います。その企業理念は貴社がやらなければならないことですか？　仮に貴社が無くなったら誰が困りますか？　収入を失う社員以外に、です。新規事業云々の前にあなたの会社とは何なのですか。

言うまでもなく、これらは第一章での論理を企業に当てはめた際の存在論です。価値創造といった綺麗な単語で表される「自社の利益」を求める前に、その新規事業立ち上げという行為はどのような原因、理由によって発生したのか、そしてやらんとしていることはどのような観念を前提としているのか、さらにはその観念はどのような時代性、歴史の産物なのか、さらにはそういう全体における我が社の存在とは何か……。こういう考えを経て生み出される新規事業は枝葉になりようがないでしょう。まったくゼロから会社を起こすなら、あなたは何をしますか。

参考として、以下、若林恵氏『さよなら未来』（岩波書店）からの引用です。

「会社ってなんのためにあるんですかね、という問いに対する最も腑に落ちた答えは、あ

17　この地点において、仕事（会社）と自分が一致することもお感じいただければと思います。会社の幸せが自分の幸せでなくてどうしますか。これはやりたいこと楽しいことを仕事と一致させろというのではありません。仕事ひいては人生に対する自分の納得と信頼の話です。

る出版社の社長が語ってくれた、「一人ひとりが平凡で小さな存在でも、みんなで集まってやれば大きなことができるじゃないですか」というものだった」

†「研究」における問い

次に、研究の場面について考えてみます。

（大学に勤める）研究者の方は、いい問いとは詰まるところ本分であるという言に、納得される方も多いかもしれません。学問を担う大学の研究たるもの、誰かに言われて「する」ものではなく「してしまう」もの、だからです。

ただし、私は著名な研究者が希にさらっと言う「（大学の）研究者は自身の興味関心に従って研究すべし」というフレーズは好きではありません。言葉足らずのこのフレーズのみでの判断ですが、どうも特権的意識が匂うような気がするのです。興味関心は誰にだってあるもの。でも、なぜ研究者だけが興味関心を突き詰めることを許されるのでしょうか。これは巷で話題の「社会の役に立つ研究をすべし」といった話をしたいのではなく、その研究が個人的趣味とどう違うのか、学問たる所以をどこまで考慮しているかを問うていきます。なぜなら、研究者の前に学者であるならその自分の興味関心こそを最も疑うはずですから。研究者に限ったことではなく、無私とは消極的に何かを手放すということでは断じてなく、あてがわれた個性と対峙して積極的に自分と戦い、結局なんなのかと問うた徹底の先にある生き様《よう》のことですから。そうして結果的にそれがその人物の思想と呼ばれる類のものになるのでしょう。歴史を見れば明らかなように、「学者」は研究対象になりますが「研究者」は（ほぼ）ならないのもこの理由によります。

自分の興味関心は果たして人間の興味関心となりうるであろうか。サンスクリット語による密教の歴史研究であろうが、現代という時代の空気をSNSから読み解く社会研究であろうが、高エネルギー照射による格子欠陥観察の物理研究であろうが、直接または間接関係なく社会に貢献するかどうかを議論する以前に、その研究の意味と意義を、観念的、歴史的、そして存在論的に見つめることが必要である、それこそが研究と学問を分ける境界です。

そうして、その検討努力がうまくいけば、それがその研究者の思想たるものに通じるわけですが（そうして学者になるのですが）、残念なのは、そのような思想的部分は論文ではなかなか表現され得ないことです。今日、研究論文とは実験や調査の分析結果を発表するものであって、著者の思想を述べるものではない、いやむしろ現状では思想を入れるとそれは主観であると指摘され、論文にふさわしくないとされるものでしょう。この傾向はやはり科学の進展とともに強化されてきたといって間違いないと思います。

近現代の学術は物理学の形式をお手本とし、ついに客観的というものが学術であるとされて久しい。もちろんそれは一定の正しさはありますが一定でしかない。にもかかわらず客観を第一義としてしまうと、何かを調べたり分析しそこから得られる結果こそ優先され、考えや思想はその次ということになります。しかしほんとうのところは、あらゆる客観的データもそれを取ろうと思った時点で主観が入っているものであり、そもそも第一章で述べたように客観という名の主観でしかありません。

実験や調査は、あえて暴言を吐くならそれは一番簡単なことです。もちろん実施の苦労も伴いますし、その実験や調査をするためにまた実験や調査といった研究が必要にもなるわけですが、とにもかくにも必死に頑張って「やればいい」のですから。そしてそこから得られた結果を分析し「説明」すればいいのですから。

他方、実験や調査に先立ってその根底にあるような、何をやるか、なぜやるか、やったら何なのか、そしてそれは何をやっていることになるのか、といった考え、いうならこの世界そしてこの人生への「解釈」を突き詰める行為は、そこに虚無と対峙する自分の全存在がかかっており、何よりも一番辛く難しい。しかも、それを研ぐために世にさらけ出すというのはよほど勇気と覚悟のいること。決して実験や調査を軽んじているわけではありませんが、この「解釈」の苦労と研鑽も同時に併せ持たないと「学問」にはなり得ず、各学術分野における「論文や研究のお作法」に則っているかどうかばかりが論点となり、結果、現在のように学術界において説明は溢れるが解釈はめったにお目にかかれない状態となります。もちろん、「説明」は何らかの課題を解決したり、何らかの便利や何かの原因究明には役立ちますが、それればかりでは思想、すなわち人間の精神のほうはいっこうに研鑽されません。[18]

やけに学問と研究を分けたがっているように読めますが、実際にそのとおりです。[19] 学問を担う大学にて行われる研究はすべて学問であることが理想と考えています（後ほど述べる課題解決的研究であっても、です）。そうでないと、大学の研究が企業での研究と同じよ

18　そういう研鑽場を創出するのが私の所属する組織であり、大勢の方に支えられながら弱小ながらもなんとかやっております。京都大学学際融合教育研究推進センター（http://www.cpier.kyoto-u.ac.jp/）

19　「産学連携の形而上学」宮野公樹（「現代思想」二〇二〇年一〇月号、一〇二―一一一頁）

うな尺度で評価されることとなります。事実、そうなっており、昨今の大学に求められる実質的利益や費用対効果および説明責任は、企業のそれと同じでしょう。「学問に対してそのような評価は不適当」と霞が関のほうを向いて叫ぶより前に、まず研究者自らがまっとうに「学問」をするほうが先であると考えます。

今日、大学人自身の責任にて大学でこそ学問ができないような妙な状況になっていますが、それでも歯を食いしばって学問を貫くことが大学人の反省にも似た気概かと。その姿を以ってして実利や数字で表し得ない価値が世に響き、結果として大学の存在意義が出てくる……。青臭いことは重々承知ですが、学問を担う大学こそが青臭いことを言わなくてどうするか、という心持ちで書いています。

と、ここまで書いたものの、昨今は一口に「研究」と言っても、先に前段落でイメージしていた学術的研究もあれば、分析や観察の手法を劇的に進展させることを目的とした開発的研究や、何らかの課題の解決を目的とした課題解決的研究もあります。これらは何も物理学や歴史学といった分野で区別されるものではなく、どの学術分野であろうが各自が定めた時間軸における目的によって分類されるものです。後二つのような何かしら目的が定まっているような研究においては、その目的の達成にどれだけ迫れるかというのが研究テーマの良し悪しを定める重要な尺度であることは言うまでもありません。

この場合、「いい問い」のために気をつけなければいけないのは、その目的に対してどこまで誠実かということです。例えば、環境問題の解決という大スケールの目的を頭に持ってくるのはいいですが、その研究が実現したら環境問題はほんとうに解決するのか。環境問題の解決のために他にも解決しなければならない肝心な問題があるのであれば、それは何で誰がどこで研究しているのか。課題解決というものを目的に掲げる以上、それを解決する道筋やプロセスまでを考慮に入れないと詐欺と言われても仕方ないでしょう。本来、課題解決研究とはそれほどまでに重いものなのですが、どうも免罪符のようにそれを掲げておいて実際はできる範囲でできることをする研究というものが多いように思えます。

昨今、大学人が「世間は大学に対して課題解決ばかりを求める」と批判しますが、課題解決はそんな甘いものじゃない。その解決に人生を置く覚悟もってやらなければいけない類のものであって、大学の範疇はここまでという枠を勝手に作って論文執筆に勤しみ、実装は他人任せという仕事を誰が信用するでしょうか。

いい問いとは本質的であるとする本論においてこそ、ここまで真剣に考えることが必要であり、さらには手法や技法的なことだけでなく、その課題がなぜあるのか（歴史性）、それを解決するということはどういうことなのか（存在論）、といった域まで考え詰める必要があるように思います。

†やりたいことが見つからない理由

一方で、「何がやりたいかわからない、研究テーマを決められない」という方もまれにおられるでしょう。こんな私のところにも、そのような博士後期課程の学生が訪ねてくることもありますし、研究に限らず、もしかしたら求職中の方も類似した問いをお持ちかもしれません。

・なんでもやってみろ、試してみろ。そうすれば何かが見つかる
・いったんやりたいこと探しをやめて旅にでもでたらどうだ
・とにかく本を読め、本屋に行って手当り次第に関心ある本を買え
・他人と話しまくれ、誰かに相談しろ
・瞑想しろ

このように、世間ではいろんな「自分探し」、「やりたいこと探し」の方法があり、人によってアドバイスもそれぞれ違うでしょう。本書では何かこれという方法を具体的に書くことはできませんが、この第一章の考えをもって考えるなら、やはりまず「私はなぜそのように思うのか」といった「やりたいことが見つからない、その理由や前提」である観念を探る仕方で考えることから始まるのではないでしょうか。自分はなぜそう感じているのか、内なるもう一つの目をもって、自身の意見、感情、感覚の理由をこそ探索し始めるでしょう。

続いて、その時代性についても思考をめぐらせます。例えば、やりたいことができるというようになったのはここ一〇〇年ほどのことで昔は生まれ落ちた場所や家に依存してほぼ人生が定められていたのだ、というふうに。ここで、昔より今がいいという思い込みを持たないことが肝要です。正しく歴史を見るなら、その時代その時代の心持ちというものがあり、例えば、就職が自由にできなかった時代にはその時代の覚悟や趣が間違いなく存在し、現代と同じように人の幸・不幸があったことでしょう。他国に生まれ落ちた場合を想像するのもいいかもしれません。そう、つまるところ幸・不幸の内容は時代や地域によるが、その形式は不変ということです。

自分の願い、願望というものは、考えてみれば自分を超えたところにあるのかもしれない……。そのような気分になったのなら、それは存在論に触れていることになります。そもそもやりたいことがあるということがそのまま幸せとも限りません。それに、得てしてやりたいことに没頭している人たちも、結果的にそれに落ち着いただけであって探そうとして見つけたとは限りません。このように存在について考えれば、自ずと（物的に）やりたいことを探そうとするのではなく、（心的に）自身の有り様、幸せとは何かに問いが深まっていくのだと思います。

哲学者・鷲田清一先生は、「読売新聞」の「人生案内」にて、何がやりたいかわからない人に対して、まず、自分がやりたいことじゃなく、誰かのために何ができるかを考えてみたらどうかと話されていました。これも一種の無私じゃないだろうかと思い、深く同意するところです。

†地域再生の例

「地方再生」、「地域活性」もまた我が国が抱える大きな問いです。

観光、移住いろいろなアプローチがあり、行政サービスの向上や地域クーポン、企業や業種を超えた合同キャンペーンなどさまざまな努力が見られます。デザイン会社やコンサルタントが入ると、行政のように生涯その土地とともに在る存在ではないために、どうしても単発的な方策やアイデアに偏ってしまうのは仕方ないことでしょう。それでも持続的に活性化するよう、日常の変革や人の成長に焦点をあててしっかりと取り組んでおられる姿はとても勉強になります。

本論をもとに考えるなら、やはりまず、なぜ地域活性しないといけないのか、といった活性化を良しとする前提や根拠から考えることになります。人が減って寂しいから？　なぜ寂しいといけないのか。昔は活性していたのにそれがなくなって寂しいから？　では、昔を知らなければ現状で満足なのか？　いやそれだけでなく、人が少ないと税収が減少し、行政サービスが満足に提供できないから。では、サービスの問題、便利の問題なのでしょうか。であれば、最近流行りのコンパクトシティへの移行を進めればいいだけでしょう。

もちろん、こんなふうにドライに考えられないことはよくよく分かっております。生まれ育った土地や風土への愛着は、単なる暮らしの便利や快適とは置き換えられないもの。ただ、ここで目線を歴史に移すなら、これまですでに何十何百という地域が廃れ消滅してきたことを思い出すことになります。地名として言葉にしか残っていない地域や、地図のみにある村。自分の時代、自分の地域だけが特別なのはあり得ないことです。

だから諦めよと言っているのではありません。誰しもいつかは必ず死を迎えるように、人の総体である地域社会とて例外ではない。そういう当たり前を考えたとき、どう生きるか、という問いが立ち上がるはずです。そこに単に活性化すればいいということにとどまらない力強い意思、思想があるような気がして仕方ありません。繰り返しますが、滅するのを待てと言っているのではありません。いずれ無になることに対する構え、その精神性の高さ、深さをもって生きよ(考えよ)、と考えているだけです。

「そうだ、まさにそうだ。その考えの結果としてこの地域を活性化させたいのだ」

という考えの結果が、先に述べた数々の工夫なのであれば素晴らしいことです。この人口減少時代において、ある地域の活性は別の地域の不活性であることは間違いなく、願わくば、我が土地のみでなく国全体への意識が伴えば、きっとその地域も活性することでしょう。そういう目線の高さで、行政サービスや地域クーポンなどさまざまな工夫や努力は何をしていることになるのか、何に抗っていることになるのかを考えることができればと思います。

仏教経済学者E・F・シューマッハーはその名著『スモール イズ ビューティフル再論』（講談社学術文庫）にて、化石燃料をもとにした技術や機械、そして家電や一過的娯楽等を「束の間の財」とし、最終的に土に還るような生態系（自然）やそれをもとにした農業、そして芸術やアンティーク等を「永遠なる財」とする二つの言葉を用いて次のように話しています。少し長いですが、極めて重要な指摘なので、いくつかの文章をそのまま引用します。読んでの通り、これは現代文明ないしは物質経済至上主義への批判であるわけですが、本質的な地域活性を考える上で非常に示唆に富む内容です（頁番号は邦訳のもの）。

束の間のものと永遠のものと区別に妥当性があると知れば、……生産の量と一人当たりの所得が同じでも、生活の質ないし生活様式は基本的な、比較できないほどの違いを示すことはありうる。一方の社会は主たる力点を束の間の満足に置き、他方は主に永遠の価値の創造に努めている（一一五頁）。

前者には束の間の財が豊富にあるが、永遠の財は乏しく、……他方、後者では束の間の財では質素だが、永遠の財は豊富で、高尚な雰囲気のなかで少量、簡素で健全な消費がおこなわれる（一一六頁）。

ただし、「どちらがよい」という問いは、質が計算できない以上、明らかに経済計算の手にあまる。……産業革命以前の社会の多くが、まさに逆方向に重点をおくことですばらしい文化を創造できたことを否定しようとする人はいまい。現代世界の文化遺産の多くはこうした社会に由来している(一一六頁)。

以上、ここでは補足として企業体における新規事業、新商品開発の場面、学術界における研究テーマ設定の場面、そして、地方再生という昨今重要視されている場面ついて、問いを問う問いの形式に沿って考えてみました。

†「枝葉」の問題

ほんとうのところは具体的な場面の選定として、例えば「二〇二〇年の論点」や「日本のオピニオン」といった類の、既存の枠組みに沿って話を進めようかと資料を調べたのですが、あまりにも本書とは世界が違うと感じ、そっと本を閉じました。

誰それが総理大臣になるにはどうしたらいいとか、世界的スタートアップを日本からいかに生まれさせるかとか、本書でいうところの「枝葉」の問いがあまりにも多いと感じたからです。いやむしろ「幹」の問いがなかったと言ってもいいぐらいです。確かに、いかに時代性を捉えているかが勝負のオピニオン誌に対して本質的な議論を求めるほうがおかしいのはわかりますが、四六時中こういうことばかり考えていたら、どんどん忙しくなるものの一向に問題が解決しないという状態に陥るのではないかと危惧します。

つい我々は目に見える問題、——言うなら分かりやすい問題——を問題とし、その不都合を好都合に変えようと考え、意見し、行動しています。枝葉の問題であり、それらは目に見えにくいより根本的な幹あるいは根における問題の派生です。ある問題を解決したところで、その根本問題の方を扱わないことには次から次にまた別の問題が生じるということになります。先に上げたシューマッハーをもう一度引いてくるなら、こうなります。

「上部構造」——法律、規則、協定、租税、福祉、教育、保健等々——の改革に努めるだけではいけないといいたい。……基礎——つまり技術のことだが——が変わらなければ、上部構造に真の変化が起こることはありえない（一四三頁）。

ここでシューマッハーが言うところのテクノロジーとは、化石燃料に依存した現代技術のことですが、本書において読み替えるなら、そこは「そもそもの在り方」となるでしょう。そもそもの在り方があらゆることの根本にあり、それが変わらない限り我々の暮らしも本質的には変わりようがない……。これは、望ましい姿や目指すところといったいわゆるビジョンというものが大事と言いたいのではなく、しいて言うならそのビジョンとは何か、ビジョンを持って生きるとはどういうことか、といった我々の存在そのものに触れるような在り方を問うことこそであるというのは、ここまで読み進めて頂いた読者の方なら通じるかと思います。

関連して思い出すのは、文芸批評家・小林秀雄はこのシューマッハーの言うところの上部構造を「団体問題」と呼びました。それは、人間があれやこれやと自ら作り出しておいて、それについてやいのやいのと騒いでいるような問題、ということです。それらは確かに重大で重要ではあるが、同時にどうしようもない問題でもあるのでいずれ落ち着くところに落ち着くだけの問題なのだ、と。おそらくは、そういう問題もさることながらより切実なる根本問題、言うならそういう問題を作る人間、その本性についてもっと取り扱ってはどうかと言いたかったのだろうと思います。

第一章の本文でも、我々が抱える問題の多くは、

人それぞれの好みの問題
やってみないとわからない問題
どうしようもない問題

だとぶっきらぼうに言い放ちましたが、実際のところほんとうにそうなのです。事実、みながそうだと思っているからこそ、「とにかく行動することが大事」と言うのではないでしょうか？　つまり、正解というものはどうせないのだからまず動け、ということです。しかし、私はこれに同意はできません。考えと行動を区分する仕方ではなく、自分はどうしてもそうせざるを得ないという域での問いと営み、——すなわち本分——が「いい問い」であるとする本論では、それら答えなどないどうしようもない問題にこそまっとうに向き合い考える、それこそが生き様としたのでした。言うなら、とにかく動け、と言うより、とにかく考えよ自ずと身体が動くまで、です。

では、どう向き合いどう考えるのか。第二章へと進みます。

第二章

「いい問い」にする方法

†いい問いにまで昇華させるには

前章では、問いを問う形式により「いい問いとは何か」を考え、「いい問い」とは本質的な問いであり、本質的とはそれがそれであるところの理由、物事の根源まで踏まえて考えているかどうかであるとしました。そうして考えを進めた結果、自分すなわち世界の存在を考えるまでに至り、その終点を始点と捉えた後、絶えず我が身を振り返る態度とともにある自分の在り方、生き様《よう》を本分、言うなら究極的な「いい問い」、としたのでした。

であれば、現時点において各自が持つ「問い」、例えば、

「新規事業立ち上げのために考えたコンセプト」
「組織改革のビジョンづくり」
「新しい研究のテーマ」

等についての現時点でのアイデアや仮説を「これは本質的か？」と自問自答を繰り返して深掘りさせ、本分または本分に通じる具体的な「いい問い」にまで昇華させればいいということです。

文章にするとたったこの一文で終わりとなりますが、これではあまりに不親切。この章では、さらに解像度をあげて「いい問い」にする方法、ハウツーを列挙するのではなく、できる限り体系化を試みつつ、単なる方法論にとどまらない方法論を扱えるよう、論を進めます。

†「問い」が磨かれるとき

「いい問いにする」ことをよく「問いを磨く」と言います。この磨くという動詞は、玉や靴、包丁といった物的な対象だけでなく、「考え」や「テーマ」等、目に見えない心的な対象にも頻繁に用いられています。これは日本語だけではなく、英語polishもそのように使用されます。

では、「問いを磨く」の「磨く」とはどういうことか。定義によれば、磨くとは自物と異物が接触し表面の凹凸を整える作業ですから、それを目に見えない「問い」に当てはめるとするなら、何かと何かが接触し摩擦を生じさせるという現象を比喩的に「矛盾」や「葛藤」と捉え、「問いは矛盾や葛藤により磨かれる」とするのは妥当でしょう。

一般的に「問い」を磨く、すなわちそれをより本質的なものにするには、別の視点から見たり、別の立場になって考えてみたり、兎にも角にも全方位的に「問い」を検証する作業が必要とされ、そのようなチェックリストを掲げた本も多くあり、いずれも有用で有効でしょう。本書は、問いの検証の仕方を「研磨」と解釈してみることで、単に問いをよくするハウツーではなく、その出自の裏付けや根拠こそを重視することで、より「本質的」に考えてみようというものです。結果的にハウツーやリストのようにみえるかもしれませんが、それを獲得するための過程は、単なる著者の個人的経験やどこかの受け売りから生じたものでなく、懐疑と論理によって思考したもの。その到達としてのリストは、それ自体の価値もさることながら、思考過程にこそ意味あるものになるでしょう。どこからか拾ってきた答えではなく、自分で見つけた答え。その方がより覚悟を持てる上、失敗したとしてもすべて自分の責任ゆえ学ぶことは段違いです。

では、いったい「問い」は、何と何との葛藤、どのような論理の矛盾によって磨かれるのでしょうか。

このように考えるときに十分に念押ししたいのが、本書では「問い」を単なる質問やテーマ、課題といった狭義のものに限定しないという姿勢です。章が変わったので改めて書きますが、世間で見られる「いい問いの立て方」や「本質的な問い」についての本は、ほぼすべてが何らかの場面を想定したものでした。会社や新規事業の立ち上げ、学術的研究テーマの決め方、あるいは、教室で展開される授業や講義、ワークショップ等、それぞれの場面ごとに「いい」の内実は変わりますが、場面に依存しない「いい」を正面から考えようとする。なぜなら、それを考えることがほんとうにほんとうの「いい」問いを摑むことに繫がると考えるからです。

序や第一章でも述べてきたように、「問い」と「考え」は完全に一致しており、さらには「考え」とは我々の存在の理由、源そのものでした。この観点から、問い、すなわち我々の存在そのものが本来的にいかなる葛藤、矛盾の内にあるのか……。

†自分と世界の矛盾のうちに

直ちに思いつくのは、第一章において最終的に達した地点、「自分と世界の在り方における矛盾」でしょう。自分の見方でしか世界が見られないのだとしたら、世界は自分の内側にあることとなります。そう考えることで瞬く間に自分と世界は同一となり、同意にて、自分というものが無くなってしまう。なぜなら、自分が思うこと、考えることが「世界そのもの」なのですから。こんな嬉しいことがあった、こんな不都合が生じた、あんな歴史的快挙を目の当たりにした、あんな悲しい出来事が起こった……。さまざまな出来事は自分の外に在ることなのに、考え詰めるとそれは、すべては自分が（自分なりに）思うことで自分の内に存在することだった……という矛盾です。[20]

ただし、これが自分が認知しないものは存在しないという断定にはならないのは、第一

20　いったい世界は在るのか、無いのか？　全部、自分の夢だったってこともあり得るじゃないか？　でも実際に物にも触れるし世界はあるじゃないか。いったいなんなのだ？　という驚きから哲学と名がつく探求が開始されるのですが、本書ではこの驚きの確認までに留めます。

章でも述べたように、白色世界にて色を塗る際に絶えず伴う自己への懐疑があるからです。[21]「これは本当だろうか」、「これでいいのだろうか」、「これは自分の本分、もしくは本分に通じるものだろうか」、そういう内省が「自分が知らないこともある」という余白を可能性として自分の内に残すことに繋がっています。

そうして、世界は広がり、世界すなわち自分の納得という完成へと動き出すわけですが（完成することはありませんが）、ついその内省が疎かになると、自分が絶対的に正しいといった自己完結的に考えるようになったり、外界（自分以外の人や環境の方）が悪いと責任転嫁してしまいがちになります。ほんとうはそれも含めて自分なのにおかしな話です。

さらにその逆として、内省すなわち懐疑が強くなりすぎたなら虚無に陥り、全ては世界の赴くままといった自分自身で考えない仕方での存在、生き方となるでしょう。言うなら判断が停止し状況に流され、自分の意思など無いとして生きることになります。ほんとうは自分の意思こそが世界なのにおかしな話です。

このように、自分と世界の矛盾、自分（個別）でありながら世界（全体）でもあるという不整合は、我々の在り方の深い部分に横たわる根源的な何かであることは疑いようがありません。

†見えるものと見えないもの

次に、この個別と全体の矛盾は、白色世界において色塗りするという「事実」に着目して生じたものとして考えるなら、続けてもう一つ、色を塗る「行為」のほうにも意識を向ける必要があるでしょう。言うならそれは、「目に見えないもの」を「目に見えるようにする」ということ。これは紛れもなく「科学」の話になるわけですが、それは後に回し、ここでは、「目に見えるもの」と「目に見えないもの」の区分、その取扱いの方に潜在的な矛盾を見ることにします。

言うまでもなく、この可視と不可視の二分は、我々人間が一〇〇〇年単位で長く付き合ってきた、換言すれば、囚われてきたとも言えるあまりに根源的な二元論、物質と精神、身体と心の話です。

21　読んでの通り、私は世界は実在するという立場です。ただし、それは白色であり、そこに色を付けるのは自己内。その分野の方は、これをフッサールのいう「認識」、カントのいう「知覚」、等を想起されるかもしれませんが、私は詳しくはわかりません。繰り返しになりますが本書では素朴な存在論、認識論で進めています。

・心はどこに在るのか
・魂は存在するのか
・死んだら心（魂）はどうなるのか

これら素朴な問いは、誰しも一度は気になったことがあると言っても過言ではないでしょう。古くは、肉体と精神（魂）はまったく別物といい切ったプラトンの「霊肉二元論」から始まり、「いやいや、体と心はもともと同一のもの」と師匠を否定した弟子のアリストテレス。歴史はとんでデカルトの「心身二元論」にて近代哲学が幕を開け、その問いの枠組が現在にまで続いています。

このようにこの物質と精神の問題は極めて根深く、先の例のように、この話は詰まるところ目に見えない事象が存在するのかといったいわゆる存在論的な問いとも密接に関係します。そして、この二元論は根源ゆえにさまざまなテーマへと形態を変えて表出します。

以下、大雑把ではありますがいくつかあげるなら、

・神（不可視）と人間（可視）
・生（可視）と死[22]（不可視）
・話し言葉（不可視）と書き言葉（可視）
・倫理（不可視）と法律（可視）

といったいわゆる哲学の領域のような問い（謎、不思議）もそうですし、あえて現代感覚において俗っぽく言うなら、

・エビデンスベース（可視）とエピーソードベース（不可視）
・絶対評価（不可視）と相対評価（可視）
・芸術（不可視）と科学[23]（可視）

22 死は見えません。見えているのは死体であって死ではありません。じゃあ、生は見えてるのかと言われると、慎重に考えれば生も見えないとなりますが、少なくとも今、自分が存在し本を読んでいるこの事実は疑いがなく、それを生として差し支えないとするなら、生は見えるとしても問題ないでしょう。

・幸せ（不可視）とお金（可視）

これらも、大枠では可視と不可視の二元論にあたります。

先の個別と全体の矛盾と同じく、これらがどちらかに過度に寄った状態に陥ると、自分の在り方が狂ってしまうことになる。

例えば、可視の方への傾きが強くなりすぎるなら、目に見えるもの、実体を重んじるあまりに心や気持ちの在り様への注意が疎かになるでしょうし、逆に、不可視の側に偏れば、例えば実世界はどうでもよくなってひたすら死後の世界での平穏を望んだりするでしょう。

そして余談ながら、近現代は可視の方に偏った状態と言って差し支えないでしょう。ただし、可視からの揺り戻しとして不可視の方へと流れる兆しも感じます。

この場でその文明論を語るほど余力はありませんが、時代単位を無視して流れだけを追うなら、機械革命、産業革命そして情報革命と物的な影響力が増進するに従い、我々の意思決定や選択において物的で科学的な考えの仕方が優勢になってきました。そもそも、複雑極まりないこの世界および我々の生き死に（人生）のうちで計測可能なものを切り取ることで誕生し育った科学は、まだそれが科学と名が付くかどうかの頃には世界（自然）探求の一手法でしかありませんでしたが、技術と結び付くことで実体として我々の暮らしに浸透してきました。ピケティが言うところの資本の増加と同じく、科学技術もまたそれを有している者がさらに高度な科学技術を創造可能であり、ゆえに進展速度は倍増を続けたのです。

このように、世界および人生のうちでもっとも不可解な部分――主観や情動やクオリアと呼ばれる質感や感性や運命や幸福や歴史や愛など――を扱わないからこそどの国どの民族にも適用可能な強烈なる浸透力を有する科学は瞬く間に世界を覆い、劇作家・思想家、山崎正和先生の言うところの「世界文明」とも言える地球規模での文明統一にいたるわけです。

しかし、これは同時に世界平和になったことを意味しません。持つものと持たざるものの差は拡大し、高度に複雑化・体系化してきた社会システムはリスクの共有の点で脆く、

23　本当はこの科学と芸術の対比的記述は嫌いです。本質をついていないと思っていますが、通常よく見受けられるので書きました。

本来的に理不尽である自然（現象）の前にはなすすべもありませんでした。ユヴァル・ノア・ハラリ、ジャレド・ダイアモンドの名を出すまでもなく、現代文明に対し警鐘を鳴らす論が世界的に大ヒットしたことは記憶に新しく、世界的な教養主義復活のムードやビジネス界におけるアート思考の重要視など、本書でいう不可視の方が目立つようになってきたと感じます。[24]

考えてみれば、かつて我が国では「バチが当たる」「（その不正行為を）他人が見ていなくてもお天道様が見てる」といった、不可視を重要視する考え方で社会の秩序を（それなりに）保っていた時代もありました。だんだん可視の方へと比重が移るに従い、それをセンサーやカメラといった電子機械で置き換えてきたのです。

なおこれは安易に昔が良かったとする懐古主義ではありません。大岡越前守もその人格が善良で立派だから良かったものの、邪悪な精神を持った人格があの地位になることも珍しくなく、非情な出来事も多々あったことでしょう。

†全体と個別×可視と不可視

以上、第一章で到達した究極的な地点における問い、すなわち我々自身の本来的な在り方がどのような矛盾と重なっているのかについて二つ考えました。思えば、哲学において二五〇〇年続いている課題として哲学者・竹田青嗣先生は、「存在（時空含む）」、「認識」、「言葉」をあげておられますが、本書にてたどり着いた個別—全体の対峙は存在論と関係し（なお、時間については後ほど触れます）、可視—不可視の対峙は認識論と関係しており、大きくは外れていないことが確認され安心して論を進められます。言葉に関しては、それを疑いつつも使用せざるを得ない立場にて進めています。

試みに、この二つの対峙を軸と表現した直交座標による二次元平面を考えるなら、新たに四象限の要素が生じます。それぞれは、

全体×不可視：狂信的
全体×可視：打算的

24　ただし、会社経営にはアートセンスが大事！というようなアートはアートではないと思っています。資格試験じゃないんだから、どこか自分の外にコロッと存在し、身に着けようと思えば身に着けられるようなものはアートセンスとは呼べないでしょう。

図7　問い、自分はどのような矛盾、葛藤の中にあるのか

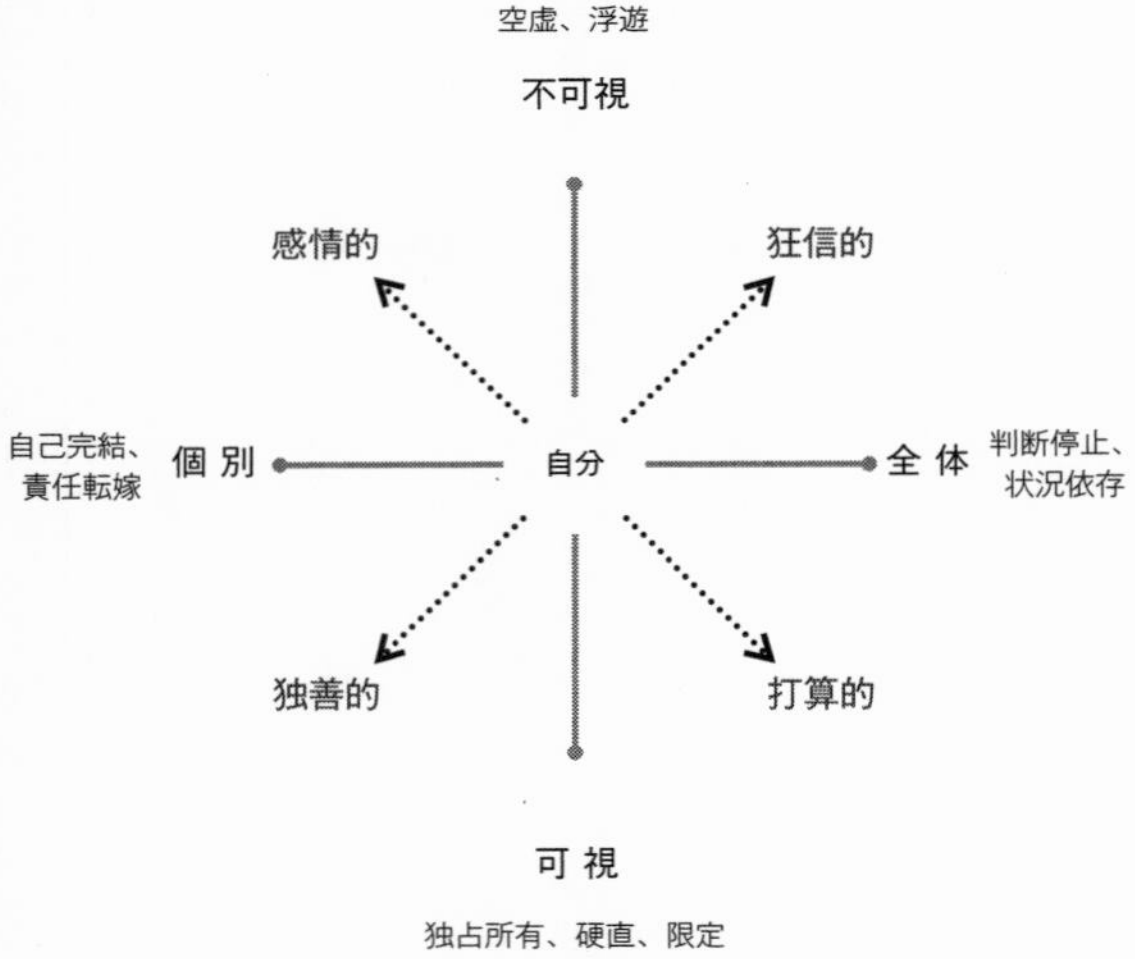

個別×不可視：感情的
個別×可視：独善的

と表現され得るでしょう（図7）。順に説明するなら、個別すなわち自分というものが極端に無くなり全体に支配され、かつ、目に見えないもののほうを過度に信ずるようになれば、それは「狂信」に陥り、逆に目に見える実在のみを重視するようになれば、人間関係や社会において損得勘定のみで暮らし、それは「打算」的な状態になる。

他方、全体を忘れ自分のみに拘り、目に見えない気分や精神的な感覚を過度に重視したならそれはあまりに「感情的」ということであり、また、目に見える実在ばかりにこだわるなら、それは「独善的」と言わざるを得ません。

このように「問い」（あるいは我々の在り方）は常にこのような相克とともにあり、問いを磨くとは、この矛盾、葛藤の中において問い（および自身）を確立させようとする営みとその努力のこととなります。

ここで念を押して強調したいのは、問いを磨くとは、この矛盾の中でどちらにも偏らずに「平衡に保とう」とする努力ではなく、問いを「確立させよう」という努力、という点です。

†心が動き、言葉にできない

これは本書の核心にあたる態度ゆえにくどいのを承知で繰り返しますが、第一章でも少し触れましたが、ジレンマに対応するために絶妙な調整がいるという考え方は、極と極の間に距離が存在し、自分が今どの程度偏っているかという位置的、計量的な印象が伴います。もちろん、それも間違いではありませんが、それのみを無条件に当たり前とする我々の感覚にこそ注意を払う必要があるのです、特に現代人においては。

これに気づいた偉人たちは注意深くも、「宿す」や「重ね合わせ」、「透かし」、あるいは「立ち現れ」という表現を用いていたことに脱帽しますが、考えてみれば、いうまでもなく個別と全体は地続きであり、いかなる個別も全体に繋がる、あるいは、いかなる個別の中にも全体を宿しているからこそ、「同一の中に異質が共存する」として、それこそを矛盾としたのでした（図8）。

図7のように今回はやむを得ず直交座標系で表現しましたが、本当はこの問いの構造をもっと心的に受け止める必要があると考えます。それは、先に書いたとおり、今を生きる

図8　「矛盾」を、直線で結ぶのは語弊

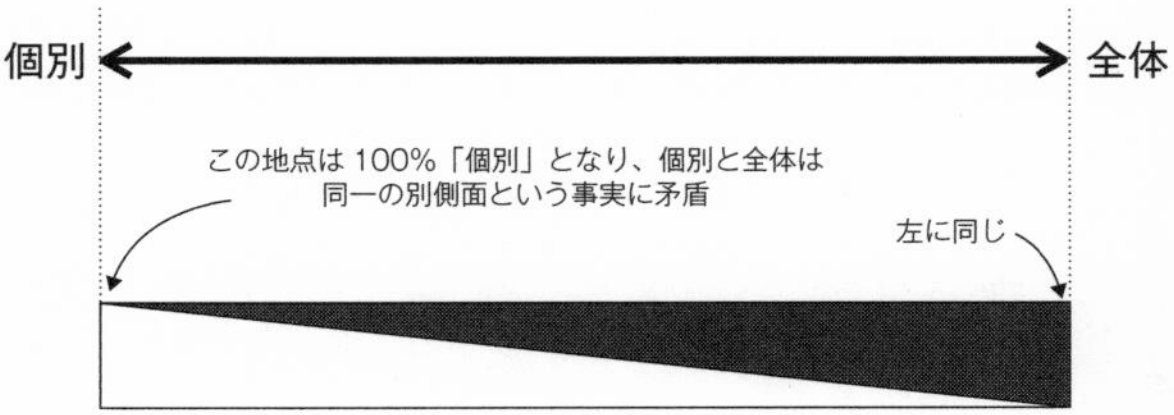

我々は知らず知らずに物的な考え方をするようになっており（可視重視）、しいて言うなら文学的な感受を軽んじるどころかその仕方を忘れているようにさえ思うのです（不可視軽視）。

　現代の我々はつい損得や論理を重視するように考えてしまい、無条件に「惚れ込む」や「想う」をなかなか思い出せません。かつて本居宣長は「考える」とは「交わる」ことだと言いました。考えて、考えて、考えて、対象と自分との区別がつかなくなるぐらい考える。それはもはや対象と自分が交わる行為であり、そうしたときにやっとその対象のことが分かるのだ、と。

　古典と言われる名著が数多くあります。私の好きなところでいうなら、ソクラテス、ヘーゲル、西田幾多郎、ヤスパース等ですが、思うにどれも極めて論理的で分析的でありながらも、どこか叙述的で全体化された印象を読後に持ちます。著者その人と対話したような存在感があるのは、おそらく矛盾と折り合いをつける仕方ではなく、それを容認しつつ覚悟を持って言葉を選択していることがその理由でしょう。そこには、〇〇主義という立場や、〇〇の専門家という枠を超えたところで、——本書でいうところの不変の領域——全人格としてことにあたる構えを持ち、感じ、考え、自ずと行動しているからでしょう。[25]

我々が世界や人生の不可知（矛盾）に対峙したとき、思わず天を見上げて「嗚呼……」という感嘆。心が動き、なんとも言葉にできずにただしみじみ想う。矛盾がどうの、中庸がどうの、それらに対処するのではなく、超えるのでもなく、黙って直視し、保持する。そうして踏み出す一歩に人は本分を感じると第一章では書きましたが、このような印象をもって図7をただ眺めたいのです。

ここで『万葉集』からいくつか持ってきてもいいのですが、あえて今を生きるこの時代から引用したく、以下、森山直太朗氏の「嗚呼」という楽曲です。

どうして　季節はゆくの　風が揺らす梢
なんで　命は巡る　頬赤める子供

25　その偉人たちにならってそのように考えたい……。そう思って本書ではみなさんと論を進めているつもりです。

どうして　涙ふいに零れ　言葉遠く霞む
なんで　あなたはそこで　ほら眩しい笑顔

いくつもの歌や詩が　私の心満たす
かたちない景色が　踊るように光る

嗚呼　嗚呼　嗚呼
嗚呼　嗚呼　嗚呼

若葉　曙　産声
大地　約束　五月雨
手と手　思い出　透明
銀河　山茶花　くるぶし

嗚呼　嗚呼　嗚呼

嗚呼　嗚呼　嗚呼
嗚呼　嗚呼　嗚呼
嗚呼

（「嗚呼」　作詞・作曲　森山直太朗・御徒町凧　二〇一六年）

個別―全体、可視―不可視。より俗に言うなら、狂信的―独善的、感情的―打算的、「これらの両極端の状況で平衡を保とうとする努力が大事です」と言えればどれだけ楽だったことでしょう。読者のみなさんにもどれほどわかりやすかったことでしょう。

しかし、真実はそうではない。なんとか伝えようとわざわざ詩を持ち出すほどに、ことはやっかいなほど妙なのです。もし世界が物質だけでできているなら、エネルギー交換だけで暮らして死ねるなら、人類は詩や音楽や学問を営む必要がなかったでしょう。問いにおける矛盾の構造は、あくまで、これはこのようである、と受け止めるためのもので、そこから物的にわかったふうに考え扱うのではない。わかることなど大したことではないのです。

つまるところ、奇異に響くのを覚悟して言えば、極端に偏ることも本分ならば「然り」なのです。これは正義や倫理の話をしているのではありません。それは言うなら社会的で、制度的で、時代的で、本書でいう可変の領域であり、今話したいのはより不変の領域、すべてが自己表現だと言っているのです。これが、先に言った「問いを確立させる」の原意です。

問い、そして我々自身は、図7のような矛盾としての存在であり、覚悟をもって言葉を使わなければならない。言葉を使うとは、何も注意深く発言せよと言いたいのではなく、生きるということそのものであることは、ここまで共に論を進めてきたみなさまなら感じていただけるものと思います。

†時間軸の導入

さて、図7のように、問いおよび我々はあのような矛盾の構造にあることを見ました。ただ、ここには時間の要素は加味されていません。ここに時間軸を導入することでより具体的に問いを磨くことについての考察を深めます。当然ながら、第一章と同じく「問いを問う問い」、この形式に従います。

時間軸の導入において、過去、現在、未来と三つに分けて考えることに異論はないでしょう。もちろん厳密に考えるなら、過去という現在、未来という現在、が現在にあるだけで過去は記憶として、未来は想像として「今・ここ・私」にあるわけですが、過去、現在、未来というフレームを用いるのは日常的なことです。

・過去

まず、時間軸において「過去」を意識しつつ、個別―全体、可視―不可視のプロットを当てはめるなら、それは「問い」の根拠、前提、歴史を考えることになるでしょう。第一章では、「問いを問う」形式にて、問いの前提をシンプルに可変―不変のY軸一つで考えていましたが、先の矛盾のプロットに従うなら四つの象限に分けることで解像度をあげて考えることができます（説明に先立ちますが、過去、現在、未来の問いを問う問いをまとめたのが図9です。各象限における象徴的な単語も記載しました）。

わかりやすい順序でいうなら、まず「個別―可視」においては、

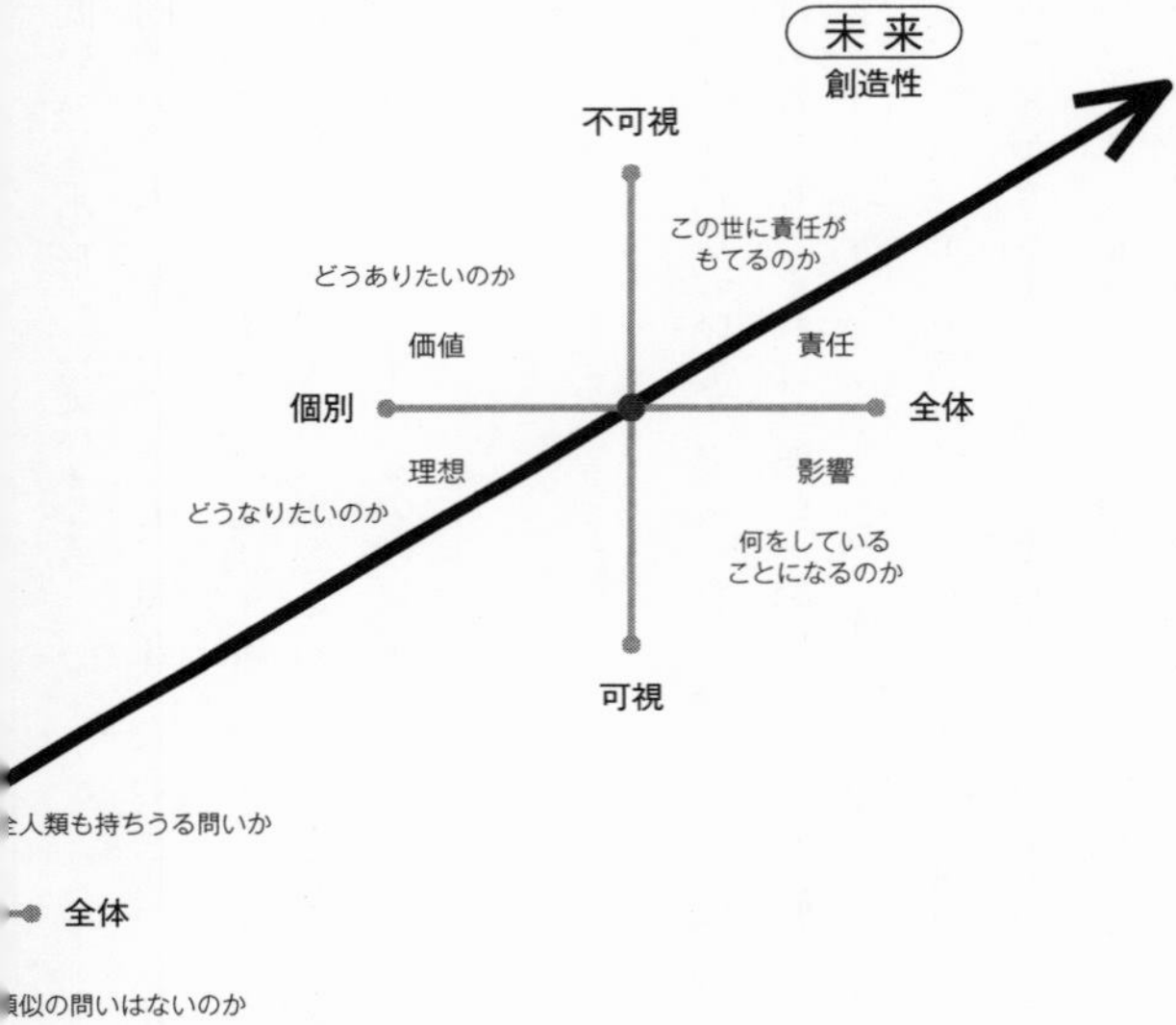
未来
創造性
不可視
この世に責任が
もてるのか
どうありたいのか
価値
責任
個別
全体
理想
影響
どうなりたいのか
何をしている
ことになるのか
可視
人類も持ちうる問いか
全体
似の問いはないのか

図9　矛盾、葛藤の中の自己

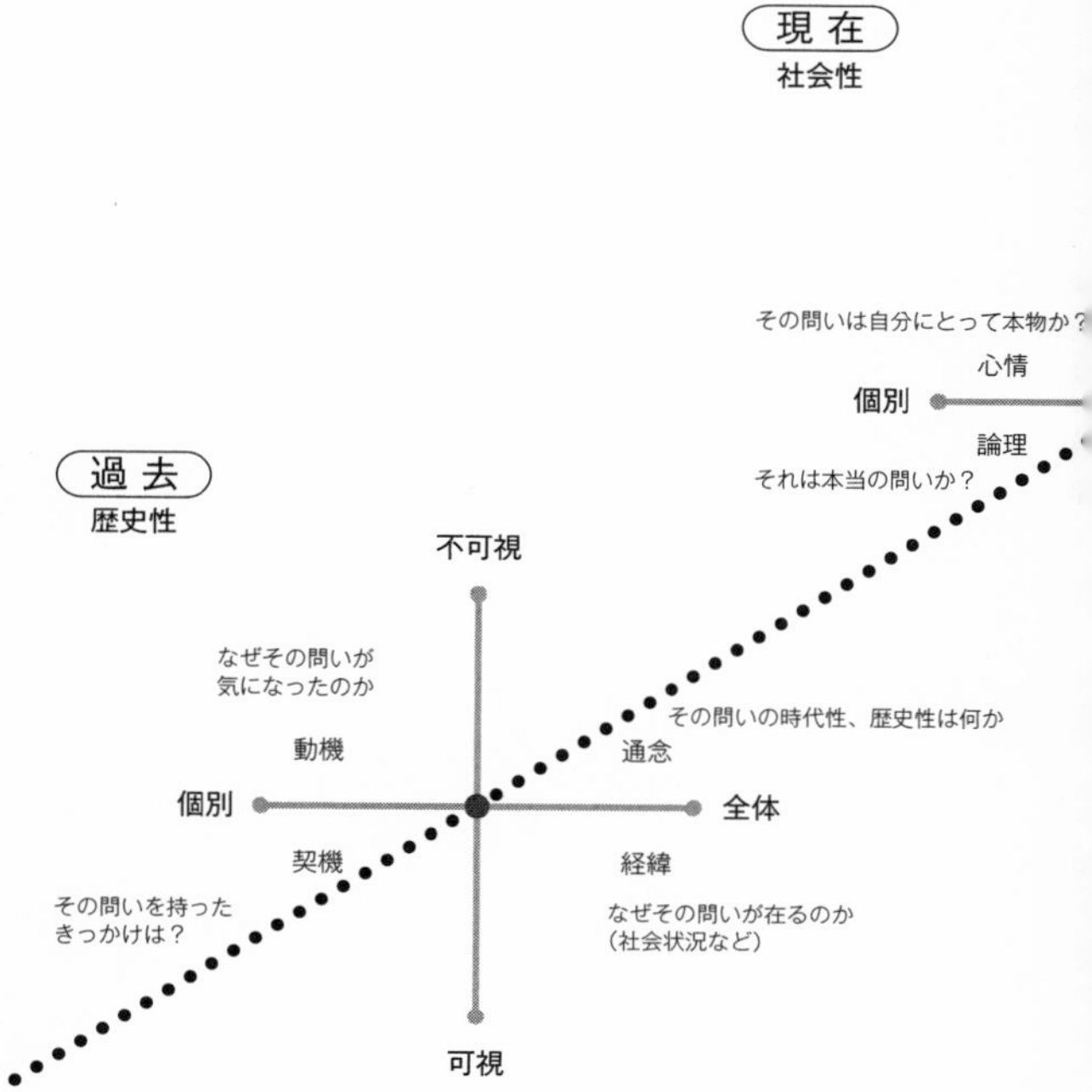
現在
社会性
その問いは自分にとって本物か？
心情
個別
論理
それは本当の問いか？
過去
歴史性
不可視
なぜその問いが
気になったのか
その問いの時代性、歴史性は何か
動機
通念
個別
全体
契機
経緯
その問いを持った
きっかけは？
なぜその問いが在るのか
（社会状況など）
可視

〈その問いを持ったきっかけは何か〉

という問いが立ちます。これを「個別―不可視」の象限で考えるなら、

〈なぜその問いが気になったのか〉

となります。二つの問いの違いは明確であり、実質的に問いをもった契機を問うのが前者の問いで、その契機が何かの出来事や事象だとすると、その出来事や事象が自身の関心フィルターに引っかかった理由を問うのが後者です。我々は四六時中あらゆる情報を浴びているわけですが、その情報の渦の中でどのような取捨選択をしているのか。この「個別―不可視」の問いは、自分自身の関心の対象と理由を探る、言うなら、自分とは何かをたどる一つの道となります。

私の周りの学生や院生のうち、学業とは別に何か活動に打ち込んでいる人たちは少なくありません。児童相談の活動、京都の伝統産業復興の取り組み、大学キャンパスのゴミ環境問題、小中学生への科学教育など、ほんとうにさまざまな活動を各自が熱心にやってい

ます。そういう彼・彼女らが「その活動をやろうと思ったきっかけは何か」、「なぜその問いが気になったのか」と自分自身に問うことは重要に思われます。両親の影響とか、友達に誘われたからとか、その理由はさまざまでしょうが、友達に誘われたからといって何でもかんでも参画したわけではないでしょう。どこかしらその活動内容に惹かれたわけです。このようにそもそもの理由に注意深くなることは自分自身の理解に繋がり、本分を思い出す重要な手がかりでしょう。

何も学生・院生の課外活動に限らず、企業で働く方にとっても、この基本的な二つの問いは大事です。就活のときに今の会社を選んだ理由とも重なるでしょうし、ベンチャー企業をやられている方は事業の最初のヒントがここにあったのかもしれません。新商品開発の担当者も「あ！」と閃いたからと、その時点で思考を止めていないでしょうか。思っている以上に我々は我々自身の好き嫌いに関心を払っていません。「これ！」と決めたことは「自分が自分で決めたのだから」といってそこで思考停止している場合も多い。物的であれ心的であれ、その理由について徹底的に考えてみるのは、無駄になろうはずもありません。もちろん突き詰めれば偶然という漢字二文字が登場してそこで終わりとなるわけですが、第一章で述べたように白色世界に色を塗る最初の一筆がこの「きっかけ」や「気づき」であるなら、やはり丁寧に自分の意識に耳を傾けることがことのすべてです。

†その問いの時代性、歴史性

その問いに関心をもった理由、すなわち自分自身を振り返って、直ちに気になるのが、その問いの時代性でしょう。なぜなら我々は社会、時代、歴史に埋め込まれた存在であり、それらと無関係に存在することは絶対にできませんから。果たしてその問いを生んだ背後には、いかなる全体的で、時代的な通念があるのか。これは「全体×不可視」の象限であり、

〈その問いの時代性、歴史性は何か〉

となります。これは、一般的に見て同じ時代を生きる人々はどのようなモノやコトを「いい」としているのか、という人々の考えや思いに焦点を当てる問いです。時代や歴史の観点から問いを眺める視点は、本書での「いい問い」を得るために必須の要件と考えられます。

例えば、新商品の開発において環境への配慮が当たり前になったのは、ほんのここ数十年の話です。「エコ」がよしとされるその前は「高機能」であり、とにかく性能がよくていろんな機能を備えた製品がよしとされたのでした。しかし、ご存知のように現在はむしろシンプルな機能の製品も目立つようになっています。いかに我々の感覚が時代的なものか痛感する事例です。

他にも例えば、今日、書店に立ち寄れば「課題解決」や「創造的」、「未来」という単語を多く目にしますが[26]、それがポジティブとされるのも、極めて時代的背景に依存することでしょう。例えば、ほんの数百年前の欧州では現在より過去のほうが優れていたとされ、現在はその劣化であるという通念が広まっていました。「ギリシャ時代のあの荘厳な芸術をとてもとても現代の私達は作れない……」そういう感覚で生きる当時の人々にとって、

26　昨今の「課題解決」を第一とする通念に違和感があります。不都合を好都合に変えるということなら子供でも言えます。その問題はほんとうの問題なのか、解決すべき問題を扱っているのか。もっと言うなら、結局、どうしたいのか、何が「いい」のか……。「課題解決」を第一義に置くのは、これらの本質的な問いについて思考停止になっている証左でしょう。いいことをやっている、高尚なことをやっているようでぜんぜん理性を働かせていません。

未来などという言葉は特に前向きな意味を持ち得ません。

二〇二〇年、本書を執筆しているのは世界的パンデミックの渦中です。この事態に遭遇した人類は、これまでいかに「量」に頼っていたかを思い知ることとなりました。モノもコトも、大量生産、大量消費で経済を回すことが発展であるとしてきた我々の通念が一気に古きものとなり、ニューノーマルと言われる新しい価値観、通念が生じるようになります。多くの識者らがそれについて語っていますが、私自身は未来予測に自分でも驚くほど関心はありません。[27]その理由について述べる紙面はありませんが、性質として動的平衡がほんとうのこの世、つまりミクロで見れば変化しているが、マクロで見ればトータルとして変わらないこの世において、なんでもあり得るという態度が学問の構えと思っています。今日明日の出来事は研究の対象にはなっても学問の対象にはなりません。[28]ゆえに、何がどう変わるかよりも何が変わらないかの方に関心が向くわけです。たとえ明日地球に宇宙人が攻めて来たとしても、何も驚くことではありません。何があってもおかしくないのはこの世が始まったときからずっとそうですし、なるようにしかならないのもまた、この世が始まってからのことです。[29]

果たして今書いているこの言葉が書物となり、その書物が何年、何十年、願わくば何百年と残るのであれば、そのときの読者に問いかけてみたいものです。人間がいる限りその本質的条件は間違いなく変わってないでしょうが、今、あなたの世界はどうなっていますか？

†全体から具体をみる

問いの時代的、歴史的な通念を考えた後は、その具体にも関心が移るのが当然でしょう。それが「全体×可視」の象限です。

27　参考：アステイオン91「可能性としての未来——100年後の日本」二〇一九年「今を生きるの意味」（宮野公樹）九〇—九二頁

28　ただ、例えばある重大事件の背景にある時代や歴史性、もしくは人間理解に通じる探求としての取扱いは「学問」となり得ます。なお、研究と学問の違いについては、前著『学問からの手紙』（小学館）にて詳しく述べてあります。

29　ここで、この世の「始まり」にピクッときた読者もおられるでしょう。本書では、この世の始まりとは、意識が意識したとき、としておきます。人間（すなわち自分）が意識を持ったとき、です。これは自分が生まれ（自分を意識し）たときと同時に、「人間」が意識を持ったとき、でもあります。時空がねじれていますが、仕方のない事実ですから。

先の例を再度登場させるなら、「課題解決」がポジティブとされる通念において、具体的に今どのような社会状況なのか。どのような経緯でその通念があるのか、を考えることになるでしょう。それを問いの形にするなら、次のようになります。

〈なぜその問いが在るのか〉

今日、国連を中心に持続的生存に向けた解決すべき課題を列挙したＳＤＧｓが世界に浸透しています。これは、先に述べた世界文明に関わることですが、文明の発展（としておきます）と共に生じた裏の面に焦点を当てるもので、現状のやり方が限界を迎えつつあるという危機感のもとに各国が起こした行動の一つです。そのような動向を踏まえて「課題解決や、よし」とする通念があると言えます。

加えて、一昔前の高度経済成長時代においてはいかに拡大成長するかという時代通念がありました。とにかく利益を向上させようとした企業活動において、騒音・煤煙《ばいえん》・廃液・廃棄物の対応は二の次でした。結果、環境被害や公害問題が生じ、その反省として、今日の「課題解決」を重視する考えがあるとも言えます。

他にも、教育現場における講義にて、最近は双方向の対話やディスカッションがよしとされ、ワークショップと言われる一〇名以下のグループディスカッションを中心とした形式が流行っているのもここ一〇年ぐらいの話。先の高度経済成長時代では、教師の知識を学習者に転移させるような一方向の講義スタイルがよしとされていたことは記憶に古くなく、当時は均一で勤勉な生産者が社会に必要であったために、そのような講義形式が有効でした。これもまた、現状の「いい」がいかに時代的、歴史的な産物であって、その「いい」がどのような背景のもとに生じているかが分かりやすい良例です。

ここで強調したいのは、昔が良かった、悪かった、といったことではありません。むしろ、時代的、歴史的に現状の「いい」を検証することによって、またひとつ違う目線で現状を捉えることができるということです。それによって、ワークショップを例に持ち出すなら、別に大勢がワイワイする企画がいいとも限らないと気づくでしょう。一人静かに内省しあうワークショップがあってもいいはずです、学ぶあるいは考えることが目的のワークショップなら。

・現在

次に、「現在」の時間軸において、どのような問いを問う問いが生じるか、個別―全体、可視―不可視のフレームに当てはめて考えます。

まず、「個別×可視」の象限においては、

〈その問いは、本当の問いか〉

というド直球の問いが立つように思います。ランチの選択からメール返信の文章一つ一つまで、言うなら我々の営み全てが自分自身の「問い」であるわけで、その無数の問いのうち目下関心ある問い、挑もうとしている問いは、ほんとうに挑むべき解くべき問いなのか……。可視であるロジックやエビデンスの分析を駆使し、枝葉ではなく幹である問いへと明確化させる必要があります。[30] 思考の「抜け漏れ」を防ぐMECE、原因分析のロジックツリー、発想を促すマンダラチャートなどなど、ちょっと検索するだけでありとあらゆる方法が見つかることでしょう。

そのように分析的に問いを検証すると同時に、決して横置きしてはならないのは、その問いは果たして自分自身の在り様とどう結びつくか、それは自分の身体から湧いてくるものなのか、すなわち本分かどうかです。それは「個別―不可視」の象限にて、次のような問いとして現れます。

〈その問いは、自分にとって本物か〉

30　おそらくですが、本書を手にとった方の多くは、この「本当の問い」こそを知りたいのかもしれません。どこを突けばことがうまく進むのか……それは私自身も知りたいことであり、だからこそ本書のように徹底して考え尽くしているのです。むしろ、「本当の問いを得ようとする意思」の方を重要とするのが本書の立場と言えます。「こうすれば上手くいく」という本を信用してはいけません。自分の仕事は自分の仕事です。他人の仕事のテンプレが適用されるほど、仕事とは易しいものでしたでしょうか。どう考えても自ら考える以外にはなく、その考えの仕方こそを追求したのが本書です。

先にも書いたように、「これぞ私の本分」という核心は、一生得られないかもしれません。絶えず自身の感情と向き合い疑いながらも、今の自分にはこれしかないといえる仕事をしたい。ある著名な大御所の作家が「あなたの著作の中で一番はどれか?」と尋ねられ、「それは次に書く本だ」と答えたのは象徴的なエピソードでしょう。

かのピーター・ドラッカーは「最も成果をあげる者は、自分自身であろうとする者だ」と言っています。本書では成功や成果が第一目的ではなく、我が人生への納得あるいは精神の成長・成熟こそを目的とするものですが、ドラッカーもまた成功を述べる際に、同等かそれ以上に自己の成長について語った事実はとても興味深い。

当然ながら、本分とは言えないまでも、本分に通じる問い、人生において自分が心から大切にしていることの実現、そのような内側から沸き起こるような問いにこそ、精神と人格は磨かれ成長します。何も自己啓発的なことを書きたいのではなく、他人から言われて嫌々やる仕事に賃金以外のフィードバックを得ることは難しいという、我々の日常的な経験の話です。

†万民に共通するもの

さて、次に個別から全体へと目線を移すなら、その問い、その本分は、自分以外も持ち得るか？　という話になるでしょう。「全体×不可視」の象限では、

〈全人類も持ち得る問いか〉

となります。一般的なマーケティング感覚では、「問い」や「テーマ」は、他者や他組織との重なりを避け、オリジナリティを強調することが大事とされます。ただ、もし大勢の人に響かせたいのであれば、そのオリジナリティあるテーマは同時に万民にも共通する何かを有する必要があります。各自によらず万民に共通すること、すなわち不変であり普遍。その究極は「存在」ですが、そのような根本の根本から問いを考えることで、真に新しいものが生まれます。それは現代性を帯びた歴史から抜けた次元で考えることで、結果的に、今現在において目新しいことになるからです。

世間ではイノベーションなるものの創出方法として、一に、未来志向のもの、これは「バックキャスト」と呼ばれる方法で、ありたい姿や理想像をまず考え、そこから逆算して今何ができるか、何が必要かを考える方法があります。ですが、よく言われる批判とし

て、馬車の時代に「輸送に関して何か希望は無いか」との労働者への質問に「もっと早い馬がほしい」といったように、そもそも我々の創造は現状の延長線上で考えるため鉄道や自動車は想起されず、なかなか新しいものは創出され得ません。

二に、現在思考とも言えるエスノグラフィや狭義のデザイン思考が挙げられます。例えば、複数の視点、生産者や利用者等、それぞれの立場に立って考えてみるとか、考えてばかりでなくトライ&エラーを繰り返すことで良い製品をつくる等の手法が用いられていますが、端的にこれらはいわゆるPDCAといった改良には向いているでしょうが新しいものを生み出す場合には厳しいかもしれません。

最後となる三は、歴史（過去）思考。実はこれこそが本書のスタンスでもあるわけです。これはこれまでの歴史を見れば自ずと未来もわかるだろうという考え方です。新しいものを生み出すためにこそ過去を見る、というのは逆のように思えますが、単に「歴史から学ぶ」ということではなく、過去を見るとは、――第一章で見てきたように――すなわちそもそも論や定義を考えるという不変の域にて考えるということ。定義を変えることはそれこそが新しいことを生み出すことであり、また歴史の経緯を見れば、その微分値として次なる傾向が見えるのは当然のことです（図10）。

図10　過去から未来をみる

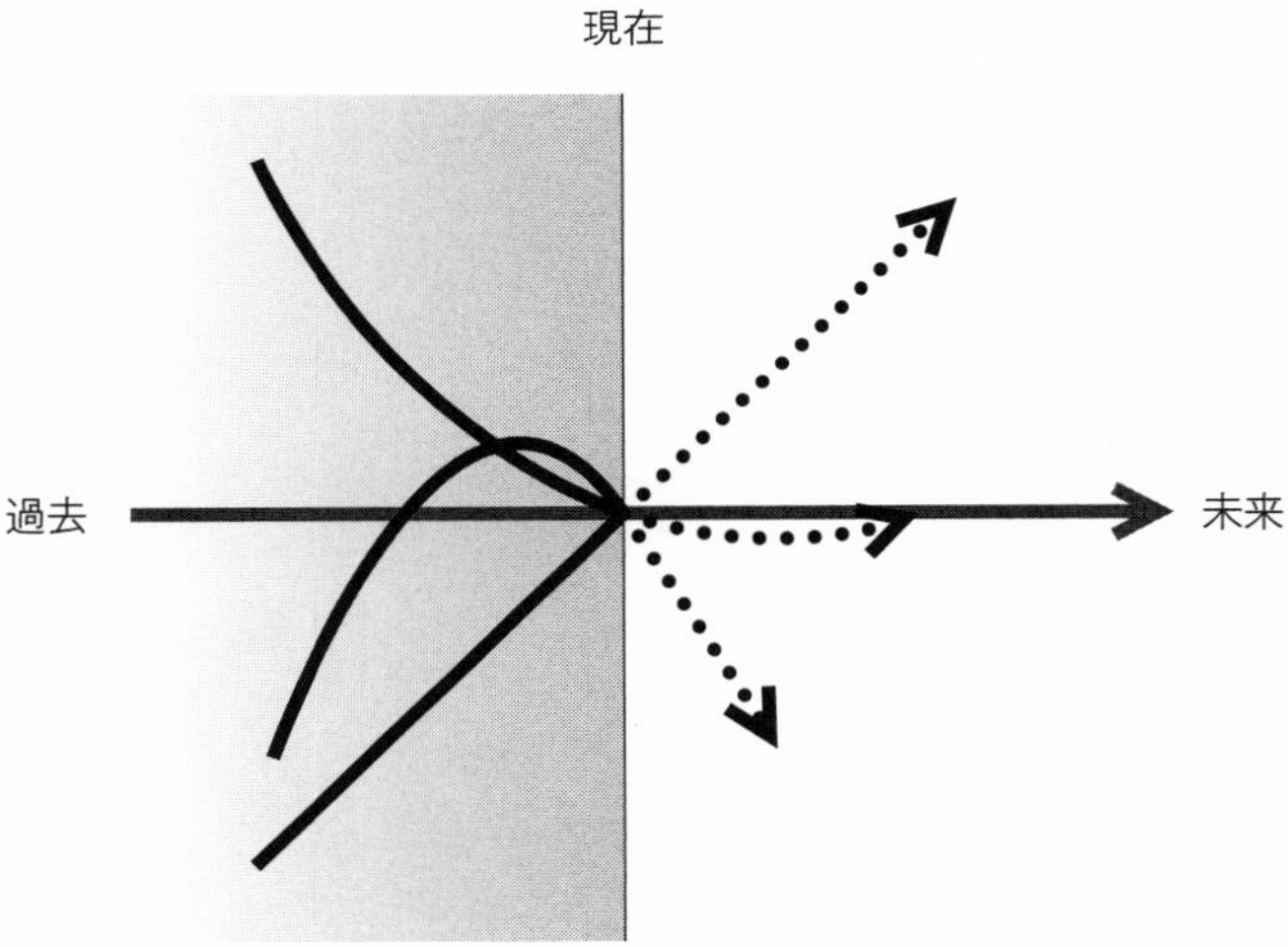

当然ながら具体的な予測などは不可能ですが、歴史の趨勢は間違いなくあるでしょう。例えば、政治の変容が分かり良い。大意、優れた支配者が施政し王権制度となるも、継続年数に従い過信的、盲目的となって悪政に。結果、民衆からの反発で王が倒され民主制度へ。ところが、得てして短期的で具現的な益を優先しがちな民衆の力が強くなると、万民にとって都合の良い支配者を求めることとなり、結果、また独裁者を生んで最初に戻る、といった次第です。

思い起こせば、優れた芸術作品もまたこの「全人類も持ちうる問いか」の象限です。個々人の表現、その究極。表現者個人の魂の域での己の深掘りが、なぜこんなにも大勢の人間の精神に呼応するのでしょう。チラチラと横を見ながらオリジナリティを出そうというのはマーケティングであってアートではない。創作動機がパトロンのためであろうが、愛しい人ただ一人のためであろうが、時を超えて歴史そのものとなった芸術作品は例外なく大勢に響いたゆえであり、それは個別が全体でもある事実そのものでしょう。無私によって得られる個性こそが真。「いい問い」と本気で向きあうなら、この恐ろしい矛盾とともに在る覚悟がいります。

†水平展開により類似を探す

なお、誤解してほしくないのは、マーケティングを否定しているのではないということです。「全体×可視」の象限が、言うならそのマーケティングに当たると考えます。

〈類似の問いはないか〉

先に述べた個別×可視の「それは本当の問いか」は自身の問いの深掘りであり、この「類似の問いはないのか」は水平展開です。自身の問いに、類似したもの、競合するもの、参考になるものはないだろうか。そういう探求はまずあって然るべきであり、もし、自身の問いが調査により解決するのであればそれに越したことはありません。そこから学び、また自分で考えればいいだけのことです。

先日もある年配の男性が「若者に夢を与えたい。私の会社経営の経験を活かして起業塾のようなものをやりたいから相談に乗って欲しい」と訪ねて来られましたが、既に京都大学関係だけでも、産官学連携本部が提供する起業プログラム（文科省事業として）や、京大生からなる起業系サークルが複数、それに最近、データサイエンスが専門の研究生の方が一般社団法人を設立されて学生の起業を応援する活動をやっておられる等、既存の類似事業が数多くあります。だから止めろと言いたいのではなく、それらを踏まえて行動するのは当たり前ですし、むしろ、自分のアイデアなどきっとどこかで誰かが既に考えていることだと思って行動するほうが間違いは少ない気がします。「調べは尽くした、それでもやる」。いい仕事とはそういう覚悟とともにあるのでしょう。

ふと思わずここで、オリジナリティの話をしたくなります。ちょっと前に、ナンバーワンよりオンリーワンというフレーズが流行ったことがありました。これもいわゆる哲学業界でいうところのポストモダンの一つでしょうが、そもそも自分は自分なわけで、最初から最後まで絶対的にオンリーワンであるのに、それを声高に言ったところで何を言ったことになるか不明です。もちろんそれは個性を大事にといった社会的なメッセージであることは承知していますが、全体の側から見るならここでいう個性は単なる区別です。その区別という差分で益を得るという話でしょう。本来のオリジナリティとはアイデンティティのことに他ならず、それは本書で述べている「いい問いの立て方」の背骨そのものです。

・未来

最後に、「未来」の時間軸において、どのような問いを問う問いが生じるか、個別―全体、可視―不可視のフレームに当てはめて考えます。

まず、「個別×可視」の象限では、

〈どうなりたいのか〉

という理想像を問う問いが来るでしょう。言うまでもなく、考えや行動の結果として、個々人が実際にどう変化したいのか、その具体像を考えておくことは必須のことです。例えば自分が経営者になりたいのなら、どのような会社で、どのような場所で、どのような事業をやって、結果、どのような効果を得るのか……といった非常に詳細で具体的な理想像をイメージすることを大事とするのは、数多くの経済的成功者の著書に見られる事例です。同様に、自分のやりたいことをメモ等に書き出すという手法もよく目にしますが、このような経済的成功を収めた人の言が正しいとか正しくないとかではなく、目的地が不明瞭ではどこに向かって走ればいいかわからないから明確にしなさい、というのは極めて当たり前の話です。

そして、その具体像は、果たしてどのような理想像の具現なのか。つまり、「個別×不可視」の象限における、

〈どうありたいのか〉

という問いに昇華されます。先の問い「どうなりたいのか」は、この「どうありたいのか」の具体的表現という位置づけであり、この二つの問いは同じようで大きく違います。どうでありたいのか、どうあろうとしているのか……。この問いは、具体的な理想像や行動の裏付けとなる思想を問うものであり、結果的に自身が大切にする価値を問うものになります。先の経営者の例なら、自分が経営者になるのは何のためか、何がしたいのか、という問いになります。

新規事業立ち上げでも、新商品開発でも、組織改革の実行でも、研究テーマ探索でも、地域活性でも、それらの実現というプロセスを経てどのような価値を達成したいのか。第

一章の補足でも書きましたが、単に経済的利益を求めるだけではないはずです。確かに現代において物事を進めるためには経済システムの中に組み込み、お金を回すというのはその達成において必須ではありますが、経済を回すことそのものが目標ではあり得ず、何かの価値を実現したくて奮闘するのでしょう。ではその価値とは何か。

自身の「問い」は、自身の在り様そのものです。自身への懐疑、内省がそのまま自身の（精神の、人格の）熟度となり、その熟度がそのまま自身の言葉と行動となる。これがいかんともし難いこの世の常です。

†結果に考えをめぐらす

ただし、自己の懐疑に留まっていては、図7のように過度に感情的、独善的になります。果たしてその価値は全体においてどのような意味を持つのか。それは「全体×可視」の象限であり、

〈それは何をしていることになるのか〉

という問いとなります。つい我々は理想的な目標を掲げるものの、結果的にそれがどのような影響を及ぼすかについては、考えを巡らせることを怠る傾向にあります。

大きく引いてみれば、科学と結びついた技術が代表例でしょう。確かに、便利や効率を求めて科学技術は発展し現代に至るわけですが、その発展の裏側に目を向けることはおろそかになっていたようにも思えます。遠藤秀紀東京大学教授ほか、多くの識者らが言うように、万年単位での人類の生物学的な変化（進化、というのを避けています）による環境対応ではなく、百年単位での科学技術によって環境の側を変化させることで対応する道を進んでしまった人類は、やはりその科学技術こそによって滅びに至るのかもしれません。

今日的話題なら、例えば、これからの情報化時代において必須スキルだということで小学校にてプログラミング教育の実施が計画されたり、全小学校にＩＴ機器を配布することは、一見、なんの問題もないように思えます。しかしながら、そのＩＴの授業を増加させることで他の授業が減ることも考慮しなければいけませんし、教える側もまたそのスキルが必要になって教師自身の学習期間が必要となり、日常的に忙しい教師がさらに忙しくなり、結果、本来の教科への注力がおろそかになることも考えられます。

これは分かりやすい例であり、何事にも長所短所、メリット・デメリットがあると言ってしまえばそれまでですが、その影響が及ぼす時間と広さをどこまで考えるか、想像できるかが精神の仕事となります。それこそが知性と呼ぶにふさわしい。

特に、二〇二〇年のパンデミックのように、緊急事態宣言による活動自粛と経済効果のバランスといった深刻な問題ほど、政治家や行政だけでなく、個々人の思想が試されることはないでしょう。確かに我々は我が幸せを考え、あるいは世にとってよかれと思って行動する生き物です。ソクラテスのいうように、我々は絶対に「よい」と思った行動しかできません、たとえそれが犯罪であろうと、です。であれば、その自分の「よい」を疑ってみる以外に「よくあろう」とすることはできません。そして誰しもがそういう同じ人間であるという地点に立てば、安易に誰かを批判することはできないでしょう。

「レジ袋有料化なんて地球全体の環境問題にとって全然意味はない」とSNSで呟くことは簡単ですが、もしあなたが経済産業省の担当者で、しょっちゅう政治家やら産業界やら、そして世間から「環境問題をなんとかしろ、なんかやれ」と言われ続けていたら、兎にも角にもできることからやろう、となるでしょう。その結果が「レジ袋有料化」という政策であったと考えたなら、先の呟きの内容も変わるのではないでしょうか。

確かに、その政策は本質的にどうなのかといった議論は必要ですし、それは結果的にどのような影響を及ぼすのかという検討は必須です。ここで言いたいのは、「それは何をしているのか」という問いは、何かしらの物事の波及効果を重々考える重要性を訴えるだけに留まらず、その思考を可能にする精神的基盤、すなわち、「私もあなたも同じ人間（でしかない）」といった自身と他者の同一視という前提の重要性こそを強調したいのです。

†「問い」を持つ覚悟

そして自分の問いがいかほどのものか、それが問われるのが、この「全体×不可視」の象限、

〈この世に責任が持てるのか〉

となります。あまりに広く深いのがこの象限。自分が持つ問い、それはこの世の問いとしてよいのか、それを持つ覚悟を問うているのがこの問いです。自分の問いはこの世の問いであることは先に述べたところですが、それをそうだと自覚するところに自分の意思が立ち現れる。自分は「無いけど在る」この地点において、全歴史に対して引き受ける構え

を問うのがこの象限です。

生きるとは白色の世界を塗る営みだと認めるなら、それは、自分の問いの深さ、懐疑がいかほどのものか、それがそのままその人の人生、生き様となります。その問いが十分深ければ、すなわち本質的であるなら、それは常識的に生きる人を深く納得させることとなり、あるいは納得されなくても何かを感じさせるものになるでしょう。人の生き方に正しいも間違いもないのは、そして勝ちも負けもないのは、あまりに常識。先に、本分であるなら偏りも然りと書きましたが、それはこの理由によります[31]。

地球を守りたい人間がいる。地球を壊したいとまでは言わないが自分の暮らしを優先させたい人間がいる。そういう勝手な人間が同じ地球に存在していることがこの世のあり様です。なるようにしかならないとはこのことであり、これは断じて諦めではなく、これまでの全歴史への承認と信頼です。

我々は大丈夫です。なるようにしかならず、ならないようになったことは全歴史のうちでたったの一度もありませんから。荻生徂徠の言うように、何もかもが全部人間のすることです。同じ人間のすることです、過去も現在も、そして未来においても。

「大丈夫」というのはそういう意味です。持続可能とか、エネルギー枯渇とか、そういう次元ではなく、きっとこれまで同様、今もそしてこれからも人間として在る、そういう意味です。いや、もはや「人間」という主語すら煩わしい。「在る」。それだけで事足ります。

この眺めで改めて自分の問いを見るなら、また違った色を帯びませんか。自分の問い、暮らし、生き様、そっくりそのままが、全体あるいは歴史たる人間としての問い、暮らし、生き様です。その問いは、何を目指して、何について、何をどうしようと何しているのか、そして、それは何をしていることになるのか……。

本章の冒頭にて、チェックリストやハウツーに留まらない方法論を扱いたいと書きました。結果的には、図9のような問いの分類・整理はその類いのもとなっていますが、その言わんとする所、各問いを問う問いの内容は、決して○や✓で済むような代物ではなく、確固たる答えなど無く自分でもがき掴み取るようなものです。そのもがく営み、精神の働きこそがいい問いに繋がるのは言うまでもないことでしょう。

†物に頼らず、誠実に思考する

まったく精神とは恐ろしいものです。有限で生身の我々において生死をかけて行動するのはよほどのことですが、名誉のための決闘、愛のための心中、身を投じる人命救助など、歴史を見ればそういう事例で溢れています。これは精神性が大事、精神は気高いと言っているのではなく、その力は宇宙大に絶大だと言いたいのです。加えて、それを人間なら誰しも持っていることがまた恐ろしい。

我々はただ、精神の力に気づき、意識を向け、研ぎ澄まし、働かせればいいのですが、それを物と同じように扱ってしまうことが間違いの元なのでしょう。物と心は同じ「在

31　人生に勝ち負けがないのなら、その総体である社会そして国にもあろうはずがありません。国とは二次元平面の土地のことでもなければ、憲法といった文章のことでもなく、（もし国というものがあるのであれば）それはつまるところ人間一人一人のこと。我が国の競争力が低下しているとか、このままでは他国に引き離されるとかいう言説が当たり前のようになっていますが、何がどうなったら競争力が上がったとか下がったとかいうのですか、どうなれば勝ちでどうなれば負けなのですか。暮らしが豊かになるとはどういうことですか？　遠い国の病気一つでたくさんの会社が潰れたり、路頭に迷う人がたくさんになるようなシステムのどこが豊かですか。つまるところ、本書でいうようにすべては精神の働きなのに、勝つべき！と叫ぶ者が勝ちを知らず（考えず）、生きるとは何かを知らず（考えず）、いったい何を生きていることになるのでしょうか。先にも述べたように、人間は勝手に生きて勝手に死ぬのが在り様。ゆえに、好きにしていただいていいのですが、勝ち負けに本気であるならきちんとまっとうに本気であってほしいと願うだけです。

る」だけど「在り様」が違う。まずはこの驚き、不思議から考えないから、安易に他人の考えに頼ったり、ハウツーを求めたり、外的な評価を自分の評価とみなしたり、データに頼ったり、客観を装って正しい顔をしてみたりするのでしょう。そういう物に頼る心情を堪えつつ胆力をして誠実に思考する……。本書での試みがその精神の論理の小さな一つにでもなれるよう挑んでいるわけです。

自分で自分を問うこと。考えを考える。この営みがほんとうの「考える」ということであり、この本で終始述べているのは結局この一文のみです。最終章では、その「考える」について深めることを狙いつつ、「問いの見つけ方」について考えます。

第三章　「いい問い」の見つけ方

†消極的アプローチをとる理由

　第一章にて「いい問い」とは何かを考えた後、第二章にてそれを磨く考えの仕方、構えについて述べました。最後に、いい問いの見つけ方について考えます。実際に、新規事業開発やワークショップの実施等、やらなきゃいけない大枠はありつつも、例えば、事業の企画書を書こうとすると具体的に何をするか決めづらいもの。どうやってそれを見つければいいのでしょうか。

　繰り返しになりますが、素朴に考えるなら、問いを見つけることが最初のステップに思えます。しかし、一般的に、誰しもが既に何らかの問いを持っているものだという思いと、そもそも我々は問いとしての存在であるという考えにて、このような順序となりました。

冒頭からここまで、「いい問い」について考えた末に、改めてこの「問いの見つけ方」について考えるなら、結論的にかつ意地悪く言ってしまえば、いい問いとは本分とする考えゆえ、探索したり発掘したりするのではなく「持ってしまうもの」という考えが非常にしっくりくるのです。

振り返れば、第二章の図9「過去」の箇所における「個別×可視」および「個別×不可視」の象限で書いたように、

・その問いを持ったきっかけは?
・なぜその問いが気になったのか

という「問いを問う問い」は、何やら一生懸命にほうぼう探して問いを得たのではなく、受動的で偶発的に生じた印象を持ちます。

おそらくは、必死に調査して得られるのは、この自然と湧いた問いを持った後の検証や分析作業にて必要なものであり、何も、「いい問いを見つける」ために必死に探す必要は

無いのでしょう。もちろん、その行動を否定するわけではありませんが、本書の一三頁に書いたように、

そもそも、いい問いの「立て方」という何かしらの方法論があるのか、ということ。言い換えるなら、いい問いを見つけようと思って見つけられるような問いが、果たして「いい問い」であるのか、

という思いが私にはどうしてもあるのです。本書では終始、方法論を得ようとするのではなく「いい問い」について仔細に考えを深める、という姿勢でここまできたわけで、引き続きその姿勢で「いい問いの見つけ方」について論を進めるとします。

ここで大きな決断をしていることを明記しておきます。一般的に「いい問いの見つけ方」を考えるなら、例えば、ブレインストーミング、曼荼羅法、シックスハット、個別アイデアの結合、統合、分離、メタ化、比喩や言い換え、さらには目標のリフレーミングやデザイン思考等、さまざまな技法が存在します。他には、禅や瞑想のように何かの考えや

深い理解を得るために対象に対して徹底的に移入することで何かを思い得るとする没入型の姿勢を大事とする方法もあります。これらも非常に有効で有益であることを認めつつも本書でそれらは扱わないからです。

いうならそれら積極的なアプローチに対して、本書ではいい問いを得る術として、「持ってしまうもの」、「持ってしまったもの」、「持たざるを得なかったもの」といった消極的なアプローチをとります。「いい問い」とは詰まるところ本分ゆえ、どうしてもそうなるのです。運命や天命という言葉を持ち出すほどに精神的ではないにせよ、どこか物的で分析・操作的な技法よりは、全的で人間的で身体的な個々人の在り様としての問いを重視するからです。[32]

いい問いの見つけ方を「創発」と置き換えるなら、かのマイケル・ポランニーの発見や創造に関する徹底した仕事が思い起こされるでしょう。創発の方法論を得ようと考え尽くし、遂にはそれを超えた意識のほうから何かが降りてくるとせざるを得なかった受動的偶然に本質を見る彼の論は、本書の強い支えとなります。

†「違和感」と「自覚」

さて、「持ってしまう問い」はどう見つかるか。手がかりとして、受動的、偶発的に気づく現象を想起させるような動詞を上げてみるなら、例えば、

ハッと気づく
ひらめく
勘が働く
着想する
降りてくる
ふと気づく

32 「重視」というか、問いを持つことが生きることそのものなのだというのが本書の論理だからです。いやもっと言うなら、「本書の論理」ではなく誰しも論理で考えるとそうなるという結果（すなわち原理）だからです。換言すれば、生きているということは問いを持っていることであり、つまるところ既にみな何かしらの生き様としての問い（＝本分）を持っており、それに気づく、あるいは思い出すだけでいい。それがこの後で述べる「違和感」と「自覚」という方法に繋がります。

頭に浮かぶ、姿を表す
脳内によぎる
心付く
思い当たる

などがあります。これらは『日本語シソーラス類語検索辞典』の他、情報通信研究機構NICT「日本語 WordNet」等を活用して、独自に拾い集めたものです。これが「研究」ならば列挙から抜け落ちた動詞がないようにしなければなりませんし、恣意的に選別することも認められませんが、日常的な範囲内での考察をするにあたってはこの程度でも大きな間違いはないでしょう。同じく、英語において日常の暮らしの中で用いるフレーズでは、

Come up with...（気づいたものが自分のオリジナルの場合）
Ring a bell
Flash into my mind

I got it
It cross my mind that...
Come to mind
Remind of
Feel it in my bones

ぐらいでしょうか。最後の「骨格で感じる」とは興味深い表現です。

ここで全体を眺めて思考を巡らすなら、「ひらめく」や「Flash into my mind」のような動的で外部的な気づきと、「思い当たる」や「Feel it in my bones」のような静的で内部的な気づきのものがあるように思えます。

改めて「持ってしまう問いはどう見つかるか」を念頭に起きつつ、「動的で外部的な動詞」をまず眺めるなら、直ちに思いつくのは「違和感」という言葉です。確かに我々は何かを見聞きしたときにハッと気づく場合は得てして「違和感があった」という言い回しをしています。

他方、「静的で内部的な動詞」、例えば「思い当たる」についてもう少し具体的に考えて

みるなら、

「振り返ってみれば、自分はずっとこういうこだわりを持っていた」
「知らず知らず、自分はこういうものを（こういう道を）選択していた」

というふうになるでしょう。これは「自覚」と名付けてもいいように思います。

まとめると、自ずと持ってしまう問いを得る方法について考えるにあたり、外的な「違和感」という方法——外側の事象に対する検知を契機として自己内に生じる違和感にてその問いに気づく——と、内的な「自覚」という方法——自分の経験を振り返ることで自身の問いに自覚的に気づく——に分けることができるでしょう。以下、この二つの方法について順に考えを深めます。

まず「違和感」という言葉について世間で頻繁に見かけるのは、

「違和感を大切に……」
「違和感や小さな気付きを頼りに……」

「イノベーションは違和感から……」

という言説が多く、意外にも「違和感」そのもの、いうなら違和感の正体についてあまり述べられていないように思えます。そのぐらい我々の暮らしに浸透している日常的なことなのでしょう。そのような一般的な感覚からすると「違和感を持つ＝センス、感性が大事」と考えがちですが、それは大雑把で取り付く島もないのでより詳細に考えていきます。

まずは違和感の「発生」について。違和感とは何か対象に対する自身の応答現象ですから、常識的かつ一般的に見られるように「感情」や「心情」が一つの発生源と考えられます。

例えば、他人との会話で、あるいはテレビや新聞記事を読んで、ふとどこか、

「何か気持ち悪い……」

という言葉に代表されるようなものが、感情的、心情的な違和感の発生です。

例えば、作曲家が音楽を作る際、最終的な完成像が明確にあるにせよないにせよ、一音一音の選択には、自身の感性、違和感を頼りに創作していくことでしょう。文章作成しかり、無限にある言葉から一語ずつ紡いでいく作業は、もちろん一定の合理的な理由があるにせよ、勘や感覚、違和感を探りながらの営みです。「いや、違う。こうじゃない」、脳内にそういう言葉を思い浮かべながらの作業は、創作活動全般につきものです。そのような専門的な事例だけでなく、例えば、見慣れたアイドルグループのセンターが交代したときに抱く違和感、SNSの自分のアカウントのアイコンを変更したときに感じる違和感、これらも感情的、心情的な違和感といえそうです。

「感情」とは、心理学者アルフレッド・アドラーによると、持続する感情と一過的な情動とを含めて感情とし、基本的な感情として、楽しさ、満足、安心、喜び、興奮といったポジティブな感情と、驚き、悲しみ、怒り、嫌悪、恐れといったネガティブな感情があるそうです。その感情の結果として、「何か気持ち悪い」「どこか気に食わない」といった心情が発生します。なお、「感情」や「心情」について仔細に考えようとするなら、心理学に始まり脳科学や哲学までも膨大な歴史がありますが、本書ではそこまで立ち入ることはせず、例えば「仕事は好き嫌いで選びなさい」といった口上で使用される程度での日常言語における素朴な気持ちを「感情」として扱うこととします。

さらに、そういう「心情」が違和感の発生源の一つなら、対比的に「論理」という言葉が直ちに浮かぶのは自然なことでしょう。つまり、心情はどこか生理的、身体的な反応であり、論理は、秩序的、合理的な観点からの反応となります。

論理的違和感は、言うなら、

「何かスッキリしない……」


といった話し言葉に代表されるものです。

例えば、「地域活性を目的に国からの補助金を獲得しよう」という文章を読んだとき、その読者が、補助金というものは時限付きのもので用途の制約も厳しいという事実を知っていたとしたなら、その文章内容の論理的妥当性に違和感を持つことでしょう。なぜなら、地域活性とは本来的にその地域の自立とともになされて然るべきで、一時的な資金投入では持続的な地域活性を期待するのは難しいからです。これは一〇年ほど前に話題になった箱物行政の話でした。

他にも、私が属する学術界の話になりますが、「研究力」という言葉に違和感がありま
す。「研究」に「力《ちから》」という言葉をあてた研究力という単語は、「影響力」や「強制力」と
は異なり、「語彙力」や「地元力」と同じ類いに思えます。研究を遂行する営みを「力」
と表現すると、それは個人が何か身につけるもの、自分の外にあってそれを習得する能力
のような気がします。しかし、学術の研究というものは「する」ものではなく、——本分
と同じように——「してしまう」が本質です。学問を担う大学における研究は誰かに頼ま
れてやるものではない。「研究力」という単語の使用は、研究というものは自分の感動を
原点として開始するもの、ということを忘れさせる極めて厄介な存在で、注意深く使わな
いといけないと思うのです。

以上が、論理的な違和感の例でしたが、本論に戻りますと、心情的であれ論理的であれ、
まだその引っかかる箇所や原因が明確に見当たりはしないが、それでも自分の意識内に通
常と異なる何かがある、それが「違和感」ということです。

†対象の内実と形式

ここで、心情と論理の対比的構図について補足します。実は、「心情と論理」ではなく

「感性と理性」にするかと迷ったのですが、何度も考えてやめました。その理由は、「感性と理性」とするとどうしてもかつての哲学論争を呼び起こすからです。代表的なのがこの二つに「悟性」を加え、人間の認識・意識について極めて分析的にその構図を考えたカントの『純粋理性批判』。この悟性というのものが分かるようで分かりにくく、さまざまな哲学者がそれぞれの意味合いで使用しているので（それはそれでいいのですが）、あまりに詳細になって本筋から外れてしまうことを恐れたためです。

もう一つ、現代においては、文芸批評家・小林秀雄氏が言うところの「現代の迷信」、理性に対する誤謬があるためです。曰く、「迷信」というと非科学的、非論理的なものと考えられてしまっているがそんなおかしい話はなく、むしろそれは全く逆であり、非科学的、非論理的なものを迷信と決めつける方こそが科学主義という迷信だ、と喝破したのでした。私はこれに深く同意します。つい我々は理性的＝論理的としがちですがそうとも言えない。迷信と言われる物語や現象も、理性がまっとうなら、それもあるかもしれないと謙虚に考えるはずです、自分は自分の見たいようにしか見ることができずそれ以外の可能性も否定できないものなのだから。つまり、理性とは持って生まれた精神のまっとうな働きであり、感性と対比させられるような「理性＝論理」という図式は狭いだろう、と理性こそが見抜くものなのです。このような状況を踏まえ、本書では「心情と論理」を選択しました。

違和感の発生について考えましたが、次に違和感の対象となる方、ひっかかる「先」の方に注意を向けるなら、その対象を「内実」と「形式」に大別して考えることが可能でしょう。具体的に言うなら、ある物事や対象を認知したとき、その「在り様やメッセージ」について違和感が生じる場合と、その「見た目やり方」について生じる場合とで分けることができます。その結果、図11(a)のように、体系的に違和感の発生と所在を記述することができるでしょう。

例えば、会議にて新規事業の話を聞いたときに、その内容である理想像や目標に、――心情的にせよ論理的にせよ、あるいは両方にせよ――違和感を持った場合と、その新規事業の伝え方ややり方などが気になった場合とで区別はできそうだ、ということです。実際、新規事業の内容が人々の幸福を目指す素晴らしいものであるのにもかかわらず、その方法において、例えば「一般人に理解させるには仮想敵を作ったほうが手っ取り早いので」といった、どこか人をバカにしたような考えが見え隠れした場合……。やはり違和感

図11(a)　違和感の発生と所在

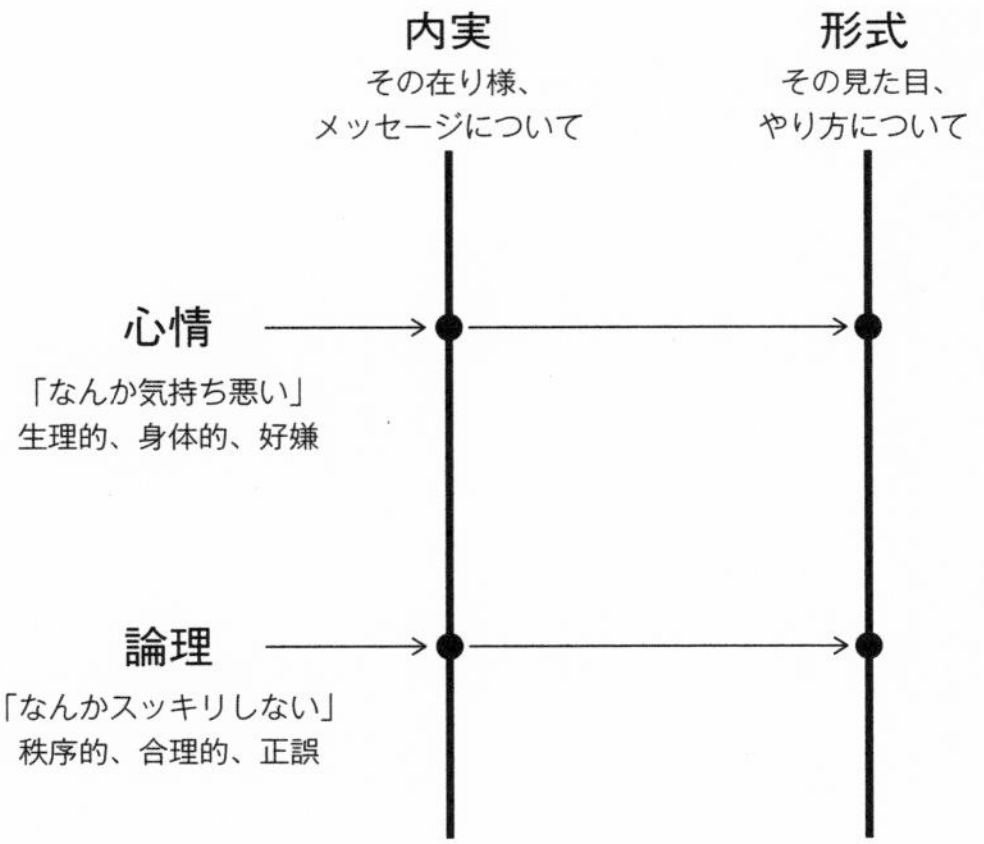

をおぼえて何か気になるものでしょう。

これはいくぶんわかり易すぎる例かと思いますが、違和感というのは日常の何気ない暮らしや仕事の中で、この「心情と論理」、「内実と形式」のマトリクスで説明できるとするのは妥当と考えます。当然ながら、これは心情的、これは論理的とはっきりと区分できることは稀かもしれませんが、これら二要素が絡み合い、関係しあっていることは明確な事実です。

†「自分」がなければ違和感もなにもない

さて、違和感の正体についてここまででその発生と所在について考えましたが、そもそものところで「違和感」とは、何かと何かが違うから異なる感じを持つわけであり、では、何と何が違うのでしょうか。これこそが違和感の正体、ことの本丸と言えそうです。

容易に気づくように、それは「対象」と「自己」との差異以外にあり得ません［図11(b)のように、心情と論理は、言うまでもなく自分の内面でのことなので「自己」、内実と形式は、自分以外のところにある「対象」と書けます］。対象を知覚したときに違和感が生じるのは、当然ながら自分の内側にあるものさしのようなもの、基準と異なるからです。

図11(b)　自分と対象とで差があれば違和感となる

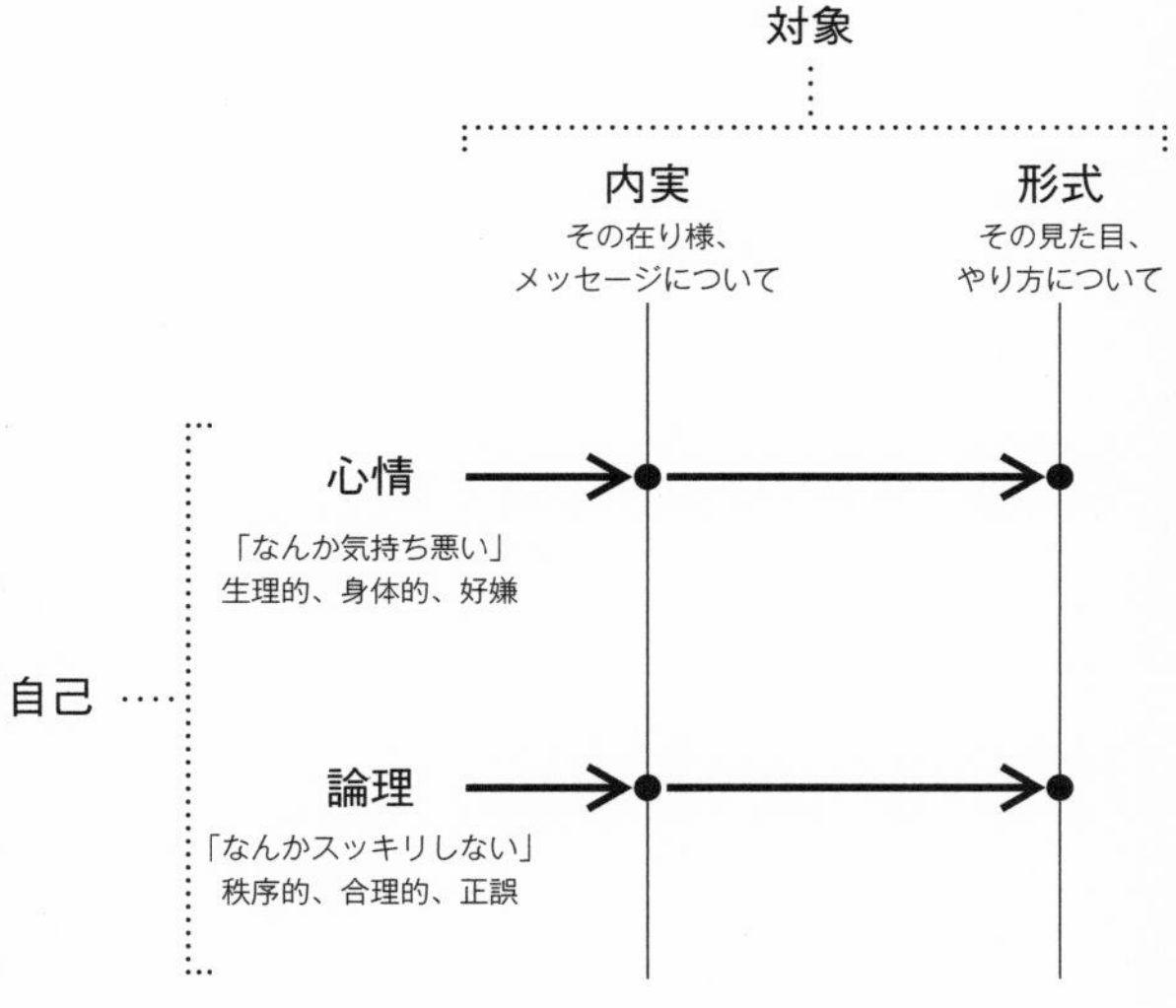

ではその基準とはなんでしょうか。それは、まさに本書の冒頭からずっと述べてきた我々の在り様そのものです〔図11(c)〕。

この図のように、「対象」と「自己」の位置を移動させて「対象に相対する自己」という構図をより強く表現した場合、その自己の側にある「心情」と「論理」は、第一章で述べた図4の最上段「意見、考え」の領域にあたります。つまり、図4を上部から見た視点にて心情と論理がちょうど円の中心にあると描写できるわけです。

違和感の基準となるのは言うまでもなく我々が内に持つ「考え」です。その考えとはときに自分自身の目標であったり（先の例で言うなら、新規事業提案の目指すところについて違和感がある等）、ときに自分が思う一般常識であったり（その新規事業がどうも一般的によしとされる考えと違う感じがする等）、ときに自分の経験であったりしますが（その新規事業提案の内容がどうも自分のこだわりとどこか違う等）、それら「考え」は前提となる何かしらの「観念」から生じたものであり、さらにその観念はその前提となる「歴史」に内包され、さらに突き詰めれば、その歴史は「存在しているから存在している」のでした。

つまり、先に違和感は対象の内実か形式についての心情的、論理的に引っかかる点として二次元平面にプロットしましたが、違和感において一番肝要である「そもそもの基準」

図11(c)　違和感の基準

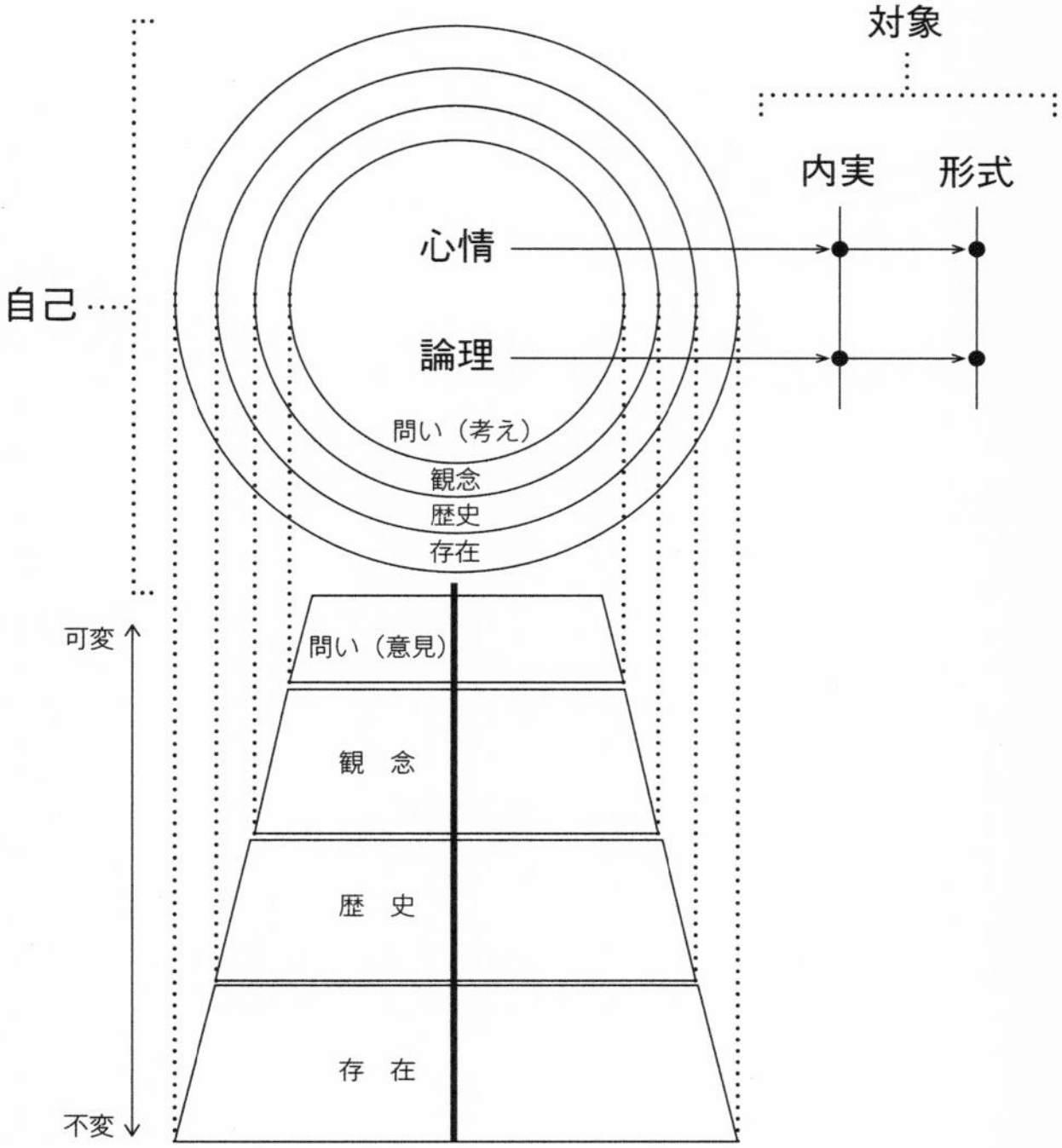

は、その二次元平面に対して垂直な軸をたて、それを不変（存在）へと深める方向に伸びているということです。違和感は、――それが明瞭であれ曖昧であれ――自分の考えや思いと対象との差異であり、その考えや思いは、自分の在り様そのものであり、つまるところあまりにも自明ですが、違和感を持つとは自分を持つことと同じです。

この結論は自明すぎるほど自明と言えど、それをこうして一から組み立てた論理によってこの常識にたどり着く再確認の過程には大いに意味はあります。世間には「違和感を大事にせよ」、「違和感からすべて始まる」という文言が溢れていますが、それが最後の締めの文章となりそれ以上の深掘りした議論を目にすることはほとんどない。しかし、本論のように丁寧に考えることで、違和感の発生を単に漠とした感覚的なものに委ねるのではなく、違和感に対して全的に構える態度を獲得すること、例えば、その違和感は感情的か論理的なものかといった自己分析や、あるいはその発生源について意見や考えレベルでの差異なのか、あるいは観念レベルでの差異なのか……といった形式で自分を丁寧に振り返る仕方を得たことになるのです。

ここで思い出して頂きたいのは、本章の冒頭にて「持ってしまう問い」を得る方法を考えるにあたり、

・外的な「違和感」という方法
（外側の事象に対する検知を契機として自己内に生じる違和感にてその問いに気づく）

・内的な「自覚」という方法
（自分の経験を振り返ることで自身の問いに自覚的に気づく）

の二つに分けられると書いた後、先に前者の「違和感」について検討したのでしたが、実はこの後者「内的な自覚という方法」は、まさに前項にて述べた、違和感を持つということは自分を持つということ、それ自体です。

外的な違和感という方法について考え始めましたが、結果的に、それは内的な自覚という方法に接続された、いやむしろ両者は同根だったということです。違和感、それは外的であれ、内的であれ、つまるところは「気づく」ということについての検討であったと結

論されます。

これを踏まえ、図11(d)では、その「自覚」という方法を書き入れました。円の中心から外側に向かい、また中心へと戻る矢印ですが、これは実際は、第一章図5のような可変から不変へと潜り、また可変へと戻る問いの循環と同じ意味をなしています。この図5の問いの循環は、本分へと導く問いの記述をしたものでしたが、見事にこの第三章の「持ってしまう問い」の仕方と一致したというわけです。考えてみれば当たり前のことですが妙に納得できると思います。

さらに驚くことに、この図11(d)に、第二章で触れた「可視と不可視」および「個別と全体」の論理体系を当てはめることができます［図11(e)］。

それぞれ次のようになるでしょう。

心情（不可視）× 論理（可視）
内実（不可視）× 形式（可視）

そして、

図11(d)　違和感の基準と個別－全体、可視－不可視の関係

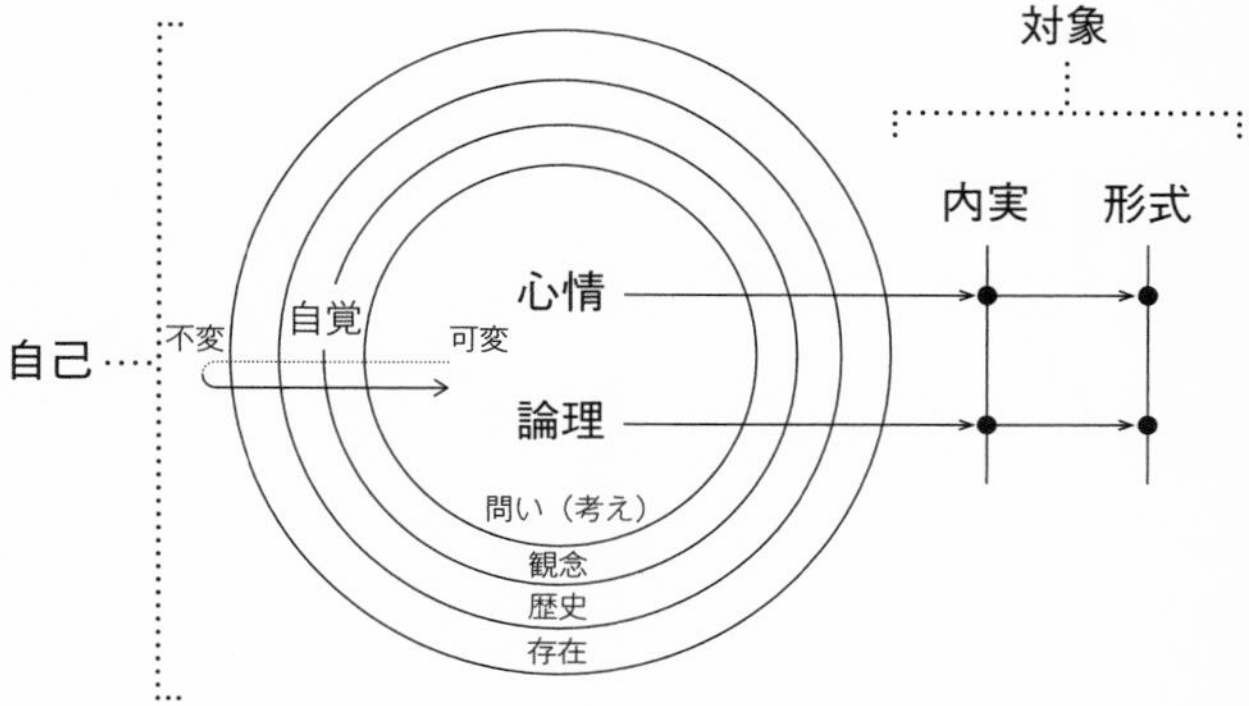

図11(e)　違和感の基準

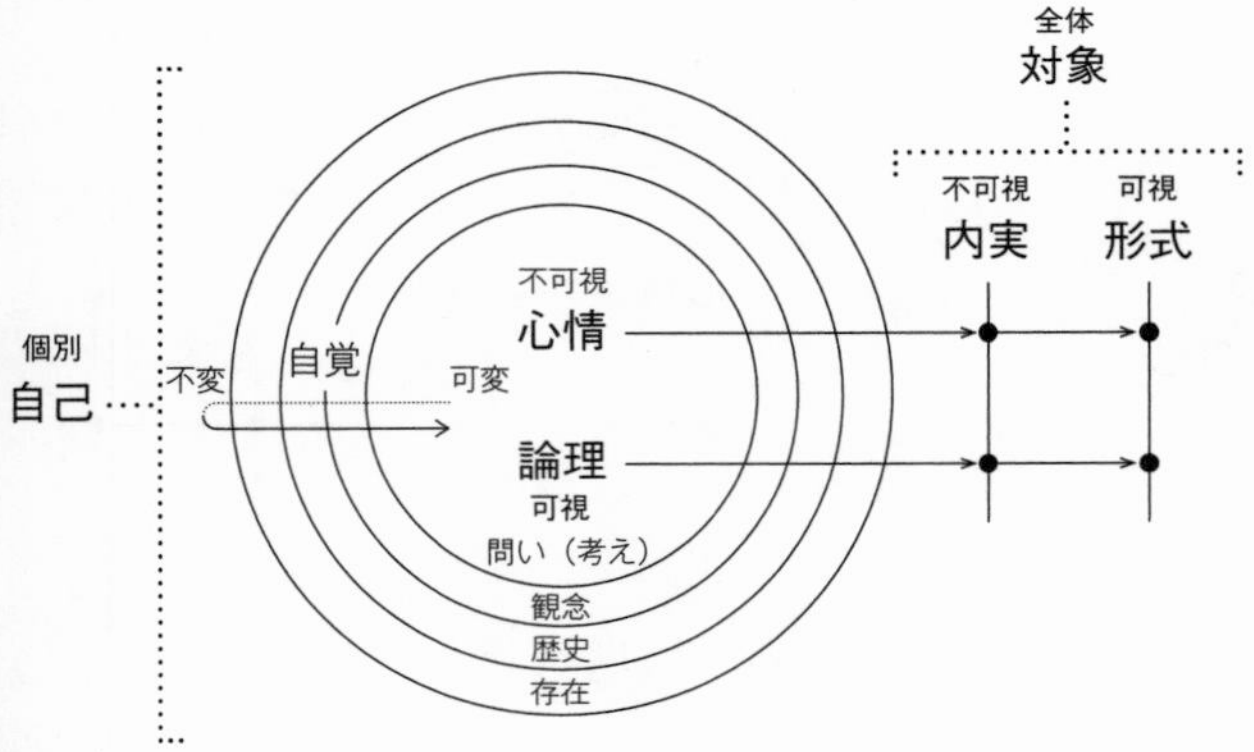

自己（個別）× 対象（全体）

図7のようなシンプルな直交座標系とはなりませんが、二つの「可視×不可視」からなるマトリクス（表）があり、そのマトリクスをまた個別と全体で表示したような二重の構造になっています。これは興味深い図で、個別―全体という軸と、可視―不可視という軸は実は同列ではなく別次元のものであることを実に上手く気づかせてくれます。つまり、例えば需要と供給、商品量と価格といったものは直交座標系において y = F(x) といったような等式で表現できますが、この個別―全体という軸と、可視―不可視という軸による直交座標系は概念的論理体系としては使えますが、その実体としては座標系にて等式で表現できるような関係性にはなかったということです。まったく意味合いが違うもの、別次元の要素だったのです。[33]

思えば、図7の直交座標系にて描く際にも、ほんとうはこのように明瞭明確に分類できるものではないが……という仮置きの表現なのでした。それもあって、この図11(e)のような可視と不可視が折り混ざったような構造はむしろより本来の在り様に近いと考えます。

†「まとめる」ことは無条件に「いい」わけではない

この座標系の話をするときに思わず思い出すことがあります。私が金属組織学を基盤にしたナノテクノロジー分野から、哲学や歴史の領域の大学論や学問論に移りかけていた頃、サントリー文化財団で開催されたある人文系の研究会でこんなことがありました。

座長「ちょっと議論が発散してきたな……」
私「ちょっとまとめると、こういうことですかね？」
（といいながら、複数の議論テーマを二軸の座標系でプロットした図を描く）
座長「いや、それはちょっと工学すぎる」
私「え？　工学すぎる？」

懐かしいエピソードです。発散したというから整理したのに、それをまさか工学すぎるなんて言われるとは思いもしませんでした。しかし、今、私はその座長の気持ちがよくわかります。あれはあれ、これはこれと単純に分解できない議論の対象を「えいや」でプロットし、整理した気になっていた過去の自分を見て未熟という感情を持ちます。

それもあって、本書では図の使用には慎重になっているわけですが、やはり作図もまた思考を深めるアプローチだと再確認もしました（いわゆる理系からいわゆる文系へと分野が移り、自分にとっては過去の世界の手法である図示をどこか軽視していたのだと思います）。考えたことを図で表現し、図を描こうとすることでまた考える。それを繰り返して考えを深めていく。例えば、考えを図に落とし込むべく、円なら円、軸なら軸を描く。すると、その円の外側は何になるのだろう？　この軸の正反対はいったい何を示すのだろう、という具合に。なるほど、視野にその外側や対極が目に入ることでいっそう考えが深まるとは、こうして新たな問いを生じさせてくれることなのかと、深く実感したのでした。

さらに雑談が許されるなら、こんなエピソードもあります。数年前、東京大学の玄田有史先生のお話を伺っているときに「$\sqrt{3}$は、無理数だから確定させることはできない。し

33　数学言語は便利ですがやはり怖いものです。軸を描けばどれも軸となり、大小や強弱、次元はそのパラメーターで表現することはできても、意味合いまでの表現は難しい。我々素人には難しいのであって、数学は情緒と言い切った岡潔には見えるのでしょうか。

かし、黒板に書いた直角三角形の一辺としては描ける。これ、おもしろいよね」と。二元論を克服しようと多くの哲学者が苦悩するのを横目に、むしろ彼・彼女らから軽視すらされた「物」の方に、先に述べたメビウスの輪しかり、見事に、自ずと、在ったんです。ああ、身体もそうですね。我々の身体が既にして二元論の実現でしたね。だから人類は数千年にわたりここまで気になって気になって気になって仕方なかったんでしょう。

†「存在」の外からやってくるのか

ところで、図11(e)において察しのいい読者の方はそれこそ「違和感」を持ったかもしれません。それは「対象」と「自己」、すなわち「全体」と「個別」とを区別し距離をおいて描いているという点です。

本書においては、「いい問い」その根幹にある「存在」を考えるにあたり、——一七四頁前において一般常識と書く際に、注意深くも「自分が思う」と修飾しているように——そもそも「対象」もまた「自己」が白色世界に塗布した色なのでした。この真実にできる限り近似させようと表現するなら、図11(f)のように描くことになります。そして、この第三章の思想はこの図で極まることになります。

図の通り、図11(e)で円外にあった「対象（全体）」は、自己（個別）内包されたというただ一点の変更だけですが、この僅かな差が大きな考えをもたらします。

第一に、この同心円を一方から見ると「個別」であり、他方から見ると「全体」となることがわかります。この図では個別と全体の角度を九〇度で描きましたが、この角度に限定されるわけではなく、言わんとするのは、個別と全体は同じだけど違うということを意味するまさに真理の形式をこの図が表現しているということです（そしてこれは図8で示した矛盾を解消することにもなっています）。

これは意外と恐ろしい図です。個別と全体が同じだけど違うというのは、すでに第一章、第二章と述べてきたことですが、全体とはそこには物質も他人も何もかもを含むということであり、考えれば考えるほどに、我々人間はこの図から一歩も抜け出せなくなる気持ちになります。なぜなら「すべて」と書いてあるのですから。この図で「全体」としたのはほんとうにほんとうの「全体」です、すべてです。すべてがここに在ると描いてあるのです。

宇宙も含めたすべてがこうして円として個別的に描けてしまう。意味する内容と相反するこの特定性が閉塞感を生じさせる正体です。何も図にしたから我々がそう感じるのでは

図11(f)　個＝全

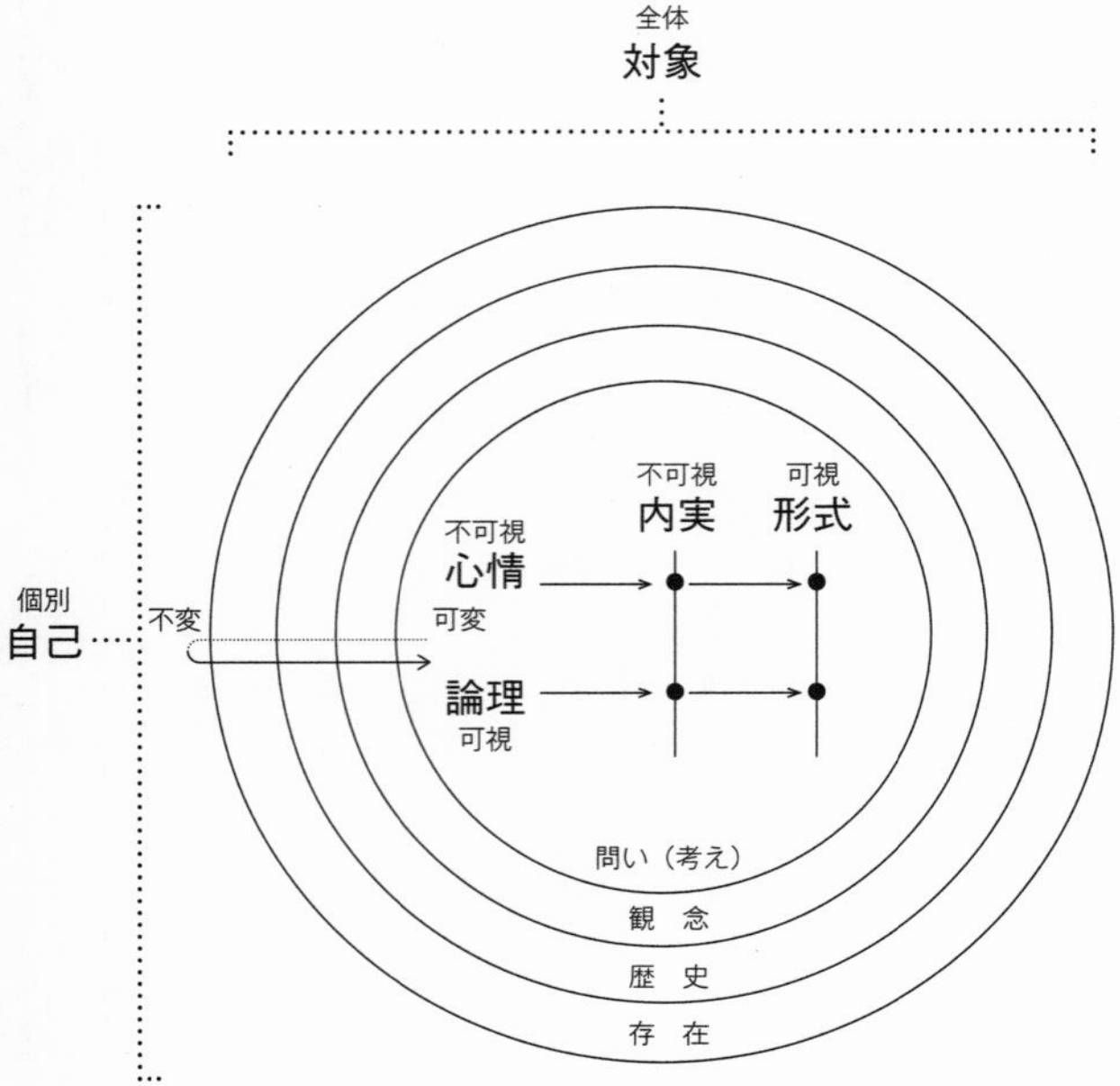

ありません。「すべて」という単語一つでも、――本書にてここまで論理を追ってきた思索をなぞるように――その言葉に深く向き合えば同じことを感受するはずです。[34]

そして、論理によりこの「すべて（全体）」がまた「個別（自分）」と同一とは、いやはや全くこれはどうしたことでしょうか。このように絶対的な域において、我々は究極的に広闊であり同時に究極的に孤絶。我々はこの矛盾を抱えているという表現では間に合わない、矛盾そのものが我々であるとしか思えません。

第二に、作図にともなう潜在的葛藤に気づくことになります。それは、図のように真円にて全体および個別を表現した場合、注意深く眺めれば直ちに気になる円外の領域のことです。一番外側の「存在」の円、それ以外の領域は「存在しない」すなわち無となるのでしょうか。あるいはその存在の円が描いてある白地の紙面、キャンバスは何になるのでしょうか……。神の目？

34　本来、言葉を使うとは精神を使うことだと気づかない、思いを馳せないのが現代の病の一つだ、と言い放ったのは先に挙げた小林秀雄氏や西部邁氏でした。彼らのいうところの「言葉の軽視」です。

これは揚げ足取り的な指摘ではなく作図あるいは図解の限界というものです。本書にて作図は「いい問いの立て方」を具体的・実行的であると同時に概念的・思想的に考えようとする不即不離の試みの一つでもあり、この指摘は決して無視できるものではありません。ことはこのように重大事項ではありますが、実はその解釈はあっさりと一言で言うことが可能です。それは、「存在」を領域で描くことはそもそも無意味ということ。「存在」には果てがないので、——したがって自分にも果てはありません——境界を設けて記すことが間違いなのです。したがってやはりここでも、この図は理解のための便宜上であるのです。[35]

そうなると、第三に気になることが浮かび上がってきます。

「持ってしまう問い」を考えるにあたり、本章の冒頭にて関連する動詞を列挙しましたが、その中に「着想する」というものがありました。英語でも、Come to mind といったように、いい考えやアイデアが「やって来る」「降りてくる」というどこかしら自分以外のところから自分のもとに来る印象を持ちます。それら落ちてくるもの、やってくるものは、アイデアや閃きといった考えの類であるとして差し支えないとしても、では、それらは「どこから」やってくるのでしょうか。どこから降りてくるのでしょうか。

†「何か」とは何か

これについて同時に考えるべき類似の疑問があります。それは、第一章の最後にて、

古来まれなる哲人、偉人たちは、その不断の努力、強靭な精神の力で、あるいは何かに突き動かされて没頭することで身を切りながらも、不変から可変まで一気に貫く精神をもってして、この世と自分を一致させた域で生きた人物たちです（六六頁）。

と書いた文章、「偉人たちは何かに突き動かされて行動した」の「何か」についてです。偉人たちに限定せずとも我々だって何かに突き動かされて行動する（した）感覚を持つ

35　「世界とは言葉が見る夢である」（ウィトゲンシュタイン）とは上手く言ったものです。この場合においては、言葉だろうが、図だろうが、その形式によってそれぞれ物語があるのだ、言うなら、言葉により世界はできているのだ、ということでしょう。そしてなお面白いのは、結局のところ図で描けない「存在」を言葉では「存在」と書けること。ということは、言葉とは無いことを言うために在る、となります。嗚呼……。

ことはあるでしょう。「何かに取り憑かれたように没頭する」もまた同じ類です。それにしても、その「何か」とはなんでしょうか。偉人たちの「何か」と我々の「何か」、そして私とあなたの「何か」は別物なのでしょうか……。

先ほども述べたようにこの図は「すべて」です。ここに無いものは本当に無いということですから、考えが降りてくる前にその考えが在る「場所」も、何かに突き動かされるその「何か」も必ずこの図中に在るはずです。であるなら、我々「個別」に降りてくるのは、その個別以外のところしかあり得ないのですから、それは個別に相対する「全体」に他なりません。

しかし、その全体は個別と同一なのでした。そう、まさにこの一文。「全体と個別は同一という矛盾」こそが、その場所であり何かとなるのです。この矛盾、――いやもはや矛盾という言葉がしっくりこず、事実や真理と呼びたくなります――に触れた瞬間は、（トートロジーであることを自覚するもそれ以外に言いようがないので）個別と全体が同一し、思想的に言うならヘーゲルの言うところの「絶対精神の自己実現」となり、俗っぽく言うなら個別を超えた力やアイデアのような、何かを全体から得ることになるのでしょう。

†解釈することと考えることの違い

ここで先ほど少し持ち出したポランニーの「暗黙知」を思い出さずにはいられません。意識のかなたから押し寄せてくるとは、本書の論で言うなら個別ではなく全体の方からやって来ることであり、それを得る状態というのはまさにかの矛盾かの真理に達したときではなかろうかと。

別の例では、少し長いですが引用しますと、「秩序立てて考えられないところで苦しんで、もがいて、必死の思いで何かを生み出そうとする。その先の、自分で作ってやろう、こうしてやろうとした作為のようなものが意識から削ぎ落とされたところに到達すると、人を感動させるような力をもった音楽が生まれてくるのだと思う」とは、音楽家・久石譲氏の言葉でした（『感動をつくれますか?』角川ｏｎｅテーマ21）。

よく言われる身体知もまたしかり。選択を迷ったときは身体に聞けとは日常的に耳にする言葉ですが、単に感性や感情に従え程度の話ではなく、身体という矛盾に向き合うという意味合いが真意でしょう。

本論の「「いい問い」の見つけ方」に戻りますと、この世に果てはなく、同意にて、この自分に果てはないのだから、「自分以外」というものは無く、なんだか素晴らしいものが他所からやってくる、別の場所から降りてくるなどはありえません。[36]

自分だけど自分以外のもの、それはまさに、図で表されるところの「同一の別視」、言葉でいうなら「同一の別解釈」、それに他ならないことになりますが、ここで強く念押ししたいのは、この視ること、この解釈することは、「考える」ことと異なるという点です。そこにあるものをそう見たりそう言い換えたりしてもそれだけのことです。依然としてその対象はそこに変わらずあるままです。「考える」とは生きること、生きていることでしたから、この不合理を生きてみる以外に「考える」ことはあり得ません。もっと言うなら、生きることを考えること、考えるを考えることが「考える」ということです。

このような物言いだとあまりに味気ないですが、すべてが自分にあるとは、問いもその答えもすべてすでに自己に有していることになります。

であれば何も慌てることはないことに気づくでしょう。ものの本を漁るのも、誰かと話すのもよいことではありますが、そこに書いてあること、そこで話されることは、既にして自分も持っているものなのですから。でないと、そもそも他人の考えが「分かる」わけがないのです。もともと自分も持っているのと同じものを見聞きしたから「分かる」のでしょう。

ここまで本書をお読み頂いている読者の方には感じてもらえることと思いますが、これは決して読書や勉強、対話を軽んじているのではありません。むしろ、それを本質的な域で最重視しているのです。全体に対する個別の構え、あるいは、個別に対する全体の構え、その話をしているのです。そういう構えで読書や対話にあたれば、問いを見つけようとす

36　もしや読者の中には、「神」を想起された方もおられるかもしれません。論理のとおりでは当然ながらこの図には「神」も含まれることになります。ただし、この個別と全体の同一という矛盾、事実、真理の存在については論理では問うことはできません。どうしてだかわからないけどそうなっている、まさにそれが真理の定義であったはずであり、しいて言うなら、この矛盾がただ在るという不思議、謎、については言葉を用いずに考えるか、あるいは一度人間をやめて人間以外となって（それが神？）考えなければならないのだと思います。

るよりも既に持ってる何かを思い出すような仕方となり、内省的で、謙虚で、日常（存在）を心身に刻むように生きることになるのではないか。

この第三章では、「「いい問い」の見つけ方」と題して考え、これにて本書は終わりとなるのですが、――やはりこれまでと同じように――結局、もとの出発点に戻るのでした。最後はソクラテスを引いて、筆をおくとします。

汝自身を知れ。

で、その自分とは？

おわりに

本書を手に取ってくださった方は、「いい問いの立て方」を知りたくて、あるいはそれに関心があってそうしてくれたのだと思います。そのお気持ちに応えられたかどうかは全く不明であり、むしろ不安ばかりが残ります。騙された、役に立たなかった、と感じるかもしれませんし、そこそこ良かったと感じてくださるかもしれません。

都合のいい引用だけをして論を進めたとも思われるかもしれません。例えば、スキルこそが大事！　ハウツーこそが全て！　と言った偉人だって多々いるでしょうがそれを私はひいていません。とにかく私は、その賛成や反対、YESやNOがのっている「土台」、つまり「考えの形式」のほうについて私なりに仔細に論を展開したつもりです。結果、私はどの意見も否定はしておらず、ただ、その意見はどういうこと？　と問うただけ、であります。

ビジネスパーソンの方には、具体的な方法を書いていないと怒られるかもしれません。

そもそもいわゆる方法論を書こうとしていないので申し訳なく思います。ただし、具体的な方法よりも効果のある考えの仕方を書いたつもりです。それは方法論を自ら創作するのが本当の方法論だと信じるからです。借り物の道具でいい仕事ができますか？　学べますか？

哲学の訓練を受けた方からすると、こんなのは哲学とは呼べないと言われるかもしれません。しかし、そもそも（その人の言うところの）哲学をしようと思っていませんのでそれはそれで構いません。他人の考えを経由することで自らが考えるならまだしも、〇〇主義や〇〇派の立場では……から始まる考えは、それはもう政治の話であって、考えるを考える精神には一向に関係ないことですから。

では何を書いたのかと言われるなら、私の考えを書いた、としか言いようがありません。もちろん、この「私」は私ではありません、あなたです。ゆえに、どうだすごいだろう！　なんてこれっぽっちも思っていませんし、「分かってくれ！　伝わってくれ！」とも全く思いません。そうそう、うんうん、と思って書いただけです。自分が読みたいものを書く、それだけを頭に置いて書き進めました。

とにかく、筆をおこうとしている今は恥ずかしくてたまりません。誰も意識は払わないし証明しようともおもわないが、誰もがそうだとわかっていることを書いただけで、別に書かなくてもいいことをくどくど書いたなあという気持ちです。でも、それなりに一生懸命必死でやったのでもう同じものは書けません。いや、むしろ次にどのようなお題を頂いても同じようなことを書くと思います（笑）。これにて勘弁。

あなたは私と言いながらもあなたはあなたですので、読み手であるあなたの感じ方はあなたの自由にてそれを押し付けることは著者である私には無理ですが、自分で考える手立てを得たと少しでも思っていただけたのなら……。著者としてそれはとてもとても報われることです。

毎回こうしているのですが、次に挙げるのは私が日々の思考生活において勉強させてもらっている方や、頼っている方、強く影響を受けた方々です。本書の執筆だけでなく、我が学問、我が人生において学ばせてもらっています。感謝の意を込めて列挙させて頂きます（敬称略。五十音順）。

糸井重里、伊藤仁斎、浦沢直樹、隠岐さや香、加藤秀樹、熊澤峰夫、呉玲奈、桑島修一郎、小林秀雄、駒井章治、佐伯啓思、柴田有三、武田修三郎、田坂広志、林千晶、平野啓

一郎、東原紘道、松本紘、三浦雅士、三木清、本居宣長、山崎正和、山極壽一、若林恵、鷲田清一、孔子、フリードリヒ・シェリング、ソクラテス、ジョン・スチュアート・ミル、カール・ヤスパース。

名だたる名著の著者や現存の大先生、著名人、そして日常的に議論させていただいている仲間と呼べる方々までも、同列に列挙しており大変恐縮ではありますが、私の感謝の念に大小はなく、ただただ心からの最大の感謝を申し上げる次第です。特に本書執筆時にご逝去された山崎正和先生に本書をお渡しできなかったことが残念で残念でたまりません。前著(『学問からの手紙』小学館)のご感想として頂いた手紙を読み返すたびに、覚悟と勇気が湧いてきます。あの知に対するどこまでも謙虚でどこまでも誠実な態度。山崎先生の言葉のような文章を一行でもいいから生んでみたい。そう願ってまた学問に励みます。

またクラウドファンディングにて多大なご支援を頂戴した長田尚子さん、日本の研究.com(杉原 淳一さん)に心よりお礼申し上げます。今回もほんとうに励みになりました。今後も面白がって頂けるよう、気を引き締めてがんばります。

そして、日常的に学際センターの事務を担って頂いている鈴木麻琴さん、数井保博さん、荒木拓也掛員、河村隆司係長、小根田基子補佐、そして重田眞義センター長。いつもみなさまの懐の深さに甘えてしまっていてすみません。でも、おかげでまだまだ挑戦できます。本当にありがとうございます。同じく、Impact HUB KYOTO の浅井俊子さん、ユニオン・エーの円城新子さん、いつもいつも応援いただき本当にありがとうございます。

本書を執筆するにあたり、数年にわたりお付き合いいただいた筑摩書房の橋本陽介さんに心より感謝申し上げます。「問いと真正面から向き合った本を作りたい」という一言を頂いてから三年間脳内で考え続け、二〇二〇年の三月から本格執筆を開始しましたが、思い起こせばその三年の間に内容や構成をがらっと変えたことも、一度や二度ではありませんでしたね。一番最初に良質な問いを頂いたおかげで、自分の思想体系を見つめ直す本当にいい学びの機会を得ました。言うまでもありませんが、橋本さんからお声がけ頂かなければこの本、この言葉、この精神は存在しておりません。本当に本当にありがとうございました。

最後に、いつも支えてくれる遠方の家族(石川、東京、滋賀の)と、毎回執筆するたびに内容にも踏み込んだ校正をやってくれる妻・真弓、そしてけんかばかりの息子たち(九、七、五歳)に生かされていることに感謝の念がやみません。ありがとう。

ちくま新書
1551

問《と》いの立《た》て方《かた》

二〇二一年二月一〇日　第一刷発行
二〇二四年八月三〇日　第六刷発行

著者　宮野公樹（みやの・なおき）
発行者　増田健史
発行所　株式会社 筑摩書房
東京都台東区蔵前二-五-三　郵便番号一一一-八七五五
電話番号〇三-五六八七-二六〇一（代表）
装幀者　間村俊一
印刷・製本　三松堂印刷 株式会社

ISBN978-4-480-07370-9 C0200

377
人はなぜ「美しい」がわかるのか
橋本治
「美しい」とはどういう心の働きなのか？「合理性」や「カッコよさ」とはどう違うのか？　日本の古典や美術に造詣の深い、活字の鉄人による「美」をめぐる人生論。

395
「こころ」の本質とは何か
——統合失調症・自閉症・不登校のふしぎ
シリーズ・人間学⑤
滝川一廣
統合失調症、自閉症、不登校——。これら三つの「こころ」の姿に光を当て、「個的」でありながら「共同的」でもある「こころ」の本質に迫る、精神医学の試み。

569
無思想の発見
養老孟司
日本人はなぜ無思想なのか。それはつまり、「ゼロ」のようなものではないか。「無思想の思想」を手がかりに、日本が抱える諸問題を論じ、閉塞した現代に風穴を開ける。

578
「かわいい」論
四方田犬彦
キティちゃん、ポケモン、セーラームーン——。日本製のキャラクター商品はなぜ世界中で愛されるのか？「かわいい」の構造を美学的に分析する初めての試み。

910
現代文明論講義
——ニヒリズムをめぐる京大生との対話
佐伯啓思
殺人は悪か？　民主主義はなぜ機能しないのか？——ニヒリズムという病が生み出す現代社会に特有の難問について学生と討議する。思想と哲学がわかる入門講義。

1099
日本思想全史
清水正之
外来の宗教や哲学を受け入れ続けてきた日本人。その根底に流れる思想とは何か。古代から現代まで、この国のものの考え方のすべてがわかる、初めての本格的通史。

1358
あなたは自由か
西尾幹二
民族の歴史の外に自由はない。しかも現代は、物質と情報の拡大とは逆に自由の収縮感に直面している。歴史と理念についての七つの視点から、自由の深層を考察する。

ちくま新書

399
教えることの復権
大村はま
苅谷剛彦・夏子
詰め込みかゆとり教育か。今再びこの国の教育が揺れている。教室と授業に賭けた一教師の息の長い仕事を通して、もう一度正面から「教えること」を考え直す。

1014
学力幻想
小玉重夫
日本の教育はなぜ失敗をくり返すのか。その背景には、子ども中心主義とポピュリズムの罠がある。学力をめぐる誤った思い込みを抉り出し、教育再生への道筋を示す。

1337
暴走する能力主義
——教育と現代社会の病理
中村高康
大学進学が一般化し、いま、学歴の正当性が問われている。〈能力〉のあり方が揺らぐ現代を分析し、私たちが生きる社会とは何なのか、その構造をくっきりと描く。

1451
大学改革の迷走
佐藤郁哉
シラバス、PDCA、KPI……。大学改革にまつわる政策は理不尽、理解不能なものばかり。なぜそういった改革案が続くのか？　その複雑な構造をひもとく。

1455
ことばの教育を問いなおす
——国語・英語の現在と未来
鳥飼玖美子
苅谷夏子
苅谷剛彦
大学入学共通テストへの記述問題・民間試験導入などで揺れ動く国語教育・英語教育。ことばの教育はどうあるべきなのか、3人の専門家がリレー形式で思考する。

817
教育の職業的意義
——若者、学校、社会をつなぐ
本田由紀
このままでは、教育も仕事も、若者たちにとって壮大な詐欺でしかない。教育と社会との壊れた連環を修復し、日本社会の再編を考える。

1436
教え学ぶ技術
——問いをいかに編集するのか
苅谷剛彦
石澤麻子
オックスフォード大学の教育法がここに再現！　論理をいかに構築するのか？　問いはどうすれば磨かれるのか？　先生と学生との対話からその技術を摑み取れ。

ちくま新書

002
経済学を学ぶ
岩田規久男
交換と市場、需要と供給などミクロ経済学の基本問題から財政金融政策などマクロ経済学の基礎までを、現実の経済問題に即した豊富な事例で説く明快な入門書。

336
高校生のための経済学入門
小塩隆士
日本の高校では経済学をきちんと教えていないようだ。本書では、実践の場面で生かせる経済学の考え方をわかりやすく解説する。お父さんにもピッタリの再入門書。

565
使える！ 確率的思考
小島寛之
この世は半歩先さえ不確かだ。上手に生きるには、可能性を見積もり適切な行動を選択する力が欠かせない。確率のテクニックを駆使して賢く判断する思考法を伝授！

701
こんなに使える経済学
——肥満から出世まで
大竹文雄編
肥満もたばこ中毒も、出世も談合も、経済学的な思考を上手に用いれば、問題解決への道筋が見えてくる！ 経済学のエッセンスが実感できる、まったく新しい入門書。

822
マーケティングを学ぶ
石井淳蔵
市場が成熟化した現代、生活者との関係をどうデザインするかが企業にとって大きな課題となる。著者はここを起点にこれからのマーケティング像を明快に提示する。

851
競争の作法
——いかに働き、投資するか
齊藤誠
なぜ経済成長が幸福に結びつかないのか？ 標準的な経済学の考え方にもとづき、確かな手触りのある幸福を築く道筋を考える。まったく新しい「市場主義宣言」の書。

1032
マーケットデザイン
——最先端の実用的な経済学
坂井豊貴
腎臓移植、就活でのマッチング、婚活パーティー!? お金で解決できないこれらの問題を解消する画期的な思考を解説する。経済学が苦手な人でも読む価値あり！

ちくま新書

253
教養としての大学受験国語
石原千秋
日本語なのにお手上げの評論読解問題。その論述の方法を、実例に即し徹底解剖。アテモノを脱却し上級の教養をめざす、受験生と社会人のための思考の遠近法指南。

1396
言語学講義
――その起源と未来
加藤重広
時代とともに進化し続ける言語学。国家戦略、AI、滅びる言語、……現代に即した切り口も交え、ことばの研究の起源から最先端まで、全体像と各論点を学びなおす。

110
「考える」ための小論文
西研
森下育彦
論文を書くことは自分の考えを吟味するところから始まる。大学入試小論文を通して、応用のきく文章作法を学び、考える技術を身につけるための哲学的実用書。

1352
情報生産者になる
上野千鶴子
問いの立て方、データ収集、分析、アウトプットまで、新たな知を生産し発信するための方法を全部詰め込んだ一冊。学生はもちろん、すべての学びたい人たちへ。

993
学問の技法
橋本努
学問の王道から邪道まで、著者自身の苦悩から生み出されたテクニックを満載！　大学生はもちろん社会人も、読めば学問がしたくてしょうがなくなる、誘惑の一冊。

604
高校生のための論理思考トレーニング
横山雅彦
日本人は議論下手。なぜなら「論理」とは「英語の」思考様式だから。日米の言語比較から、その背後の「心の習慣」を見直し、英語のロジックを日本語に応用する。２色刷。

486
図書館に訊け！
井上真琴
図書館は研究、調査、執筆に携わる人々の「駆け込み寺」である！　調べ方の超基本から「奥の手」まで、カリスマ図書館員があなただけに教えます。

ちくま新書

918 法然入門 阿満利麿

私に誤りはなく、私の価値観は絶対だ——愚かな人間のための唯一の仏教とは。なぜ念仏一行なのか。日本史上最大の衝撃を宗教界にもたらした革命的思想を読みとく。

936 神も仏も大好きな日本人 島田裕巳

日本人はなぜ、無宗教と思いこんでいるのか？ 神道と仏教がどのように融合し、分離されたか、その歴史をたどることで、日本人の隠された宗教観をあぶり出す。

956 キリスト教の真実 ——西洋近代をもたらした宗教思想 竹下節子

ギリシャ思想とキリスト教の関係を検討し、近代ヨーロッパが覚醒する歴史を辿る。キリスト教という合せ鏡をとおして、現代世界の設計思想を読み解く探究の書。

1022 現代オカルトの根源 ——霊性進化論の光と闇 大田俊寛

多様な奇想を展開する、現代オカルト。その根源には「霊性の進化」をめざす思想があった。19世紀の神智学から、オウム真理教・幸福の科学に至る系譜をたどる。

1048 ユダヤ教 キリスト教 イスラーム ——一神教の連環を解く 菊地章太

一神教が生まれた時、世界は激変した！「平等」「福祉」「不寛容」などを題材に三宗教のつながりを分析し、現代の底流にある一神教を読み解く宗教学の入門書。

1081 空海の思想 竹内信夫

「密教」の中国伝播という仏教の激動期に入唐した空海は何を得たのだろうか。中世的「弘法大師」信仰を解体し、空海の言葉に込められた「いのちの思想」に迫る。

1102 エクスタシーの神学 ——キリスト教神秘主義の扉をひらく 菊地章太

ギリシア時代に水源をもち、ヨーロッパ思想の伏流水であるキリスト教神秘主義。その歴史を「エクスタシー」の観点から俯瞰し、宗教の本質に肉薄する危険な書。

ちくま新書

064
民俗学への招待
宮田登
なぜ私たちは正月に門松をたて雑煮を食べ、晴着を着るのだろうか。柳田国男、南方熊楠、折口信夫などの民俗学研究の成果を軸に、日本人の文化の深層と謎に迫る。

085
日本人はなぜ無宗教なのか
阿満利麿
日本人には神仏とともに生きた長い伝統がある。それなのになぜ現代人は無宗教を標榜し、特定宗派を怖れるのだろうか？　あらためて宗教の意味を問いなおす。

445
禅的生活
玄侑宗久
禅とは自由な精神だ！　禅語の数々を紹介しながら、言葉では届かない禅的思考の境地へ誘う。窮屈な日常に変化をもたらし、のびやかな自分に出会う禅入門の一冊。

615
現代語訳　般若心経
玄侑宗久
人はどうしたら苦しみから自由になれるのか。言葉や概念といった理知を超え、いのちの全体性を取り戻すための手引を、現代人の実感に寄り添って語る新訳決定版。

744
宗教学の名著30
島薗進
哲学、歴史学、文学、社会学、心理学など多領域から宗教理解、理論の諸成果を取り上げ、現代における宗教的なものの意味を問う。深い人間理解へ誘うブックガイド。

783
日々是修行
――現代人のための仏教一〇〇話
佐々木閑
仏教の本質とは生き方を変えることだ。日々のいとなみの中で智慧の力を磨けば、人は苦しみから自由になれる。科学の時代に光を放つ初期仏教の合理的な考え方とは。

814
完全教祖マニュアル
架神恭介
辰巳一世
キリスト教、イスラム、仏教などの伝統宗教から現代日本の新興宗教まで古今東西の宗教を徹底的に分析。教義や組織の作り方、奇跡の起こし方などすべてがわかる！